D1614898

FRANCO

FRANCO

Un balance histórico

Pío Moa

© Pío Moa, 2005
© Editorial Planeta, S. A., 2005
    Diagonal, 662-664, 08034 Barcelona (España)

Ilustraciones del interior: Agencia Efe, archivo Editorial Planeta,
    Betmann/Corbis-Cover, Europa Press

Primera edición: octubre de 2005
Depósito Legal: B. 38.017-2005
ISBN 84-08-06235-2
Composición: Zero pre impresión, S. L.
Impresión y encuadernación: Mateu Cromo Artes Gráficas, S. A.
Printed in Spain - Impreso en España

Índice

Dos poemas de Neruda

No todo el mundo detestaba o detesta a Franco, claro está, pero quienes lo han detestado lo han hecho con una intensidad nada común, y en ese sentido puede considerársele uno de los personajes más odiados del siglo XX.

Cuando murió, el 20 de noviembre de 1975, el Partido Comunista de España (reconstituido), que pronto crearía el GRAPO, difundió por todas las ciudades donde tenía militantes (Madrid, Barcelona, Cádiz, Sevilla, Vigo, Córdoba, Bilbao y algunas otras) muchas decenas de miles de hojas con el célebre poema de Pablo Neruda «El general Franco en los infiernos». Recuerdo haberlo tirado en el metro de Madrid, regando los andenes desde la última puerta del convoy en marcha, mantenida entreabierta. Uno o dos camaradas se situaban de modo que la gente dentro del vagón no se percatara de la maniobra, y quienes volvían a llenar los andenes recogían los papeles. Los dirigentes no debíamos hacer aquellas cosas, pero a algunos nos proporcionaba una peculiar satisfacción, también por su cuota de riesgo.

Las maldiciones de Neruda a Franco eran tan retumbantes que causaban perplejidad, y mucha gente se llevaba la hoja, seguramente para enseñarla a otros. Ningún panfleto agitativo de los muchísimos que tiramos a lo largo de años tuvo tanta difusión, si bien, sospecho, más por curiosidad que por aquiescencia de la mayoría de sus lectores. Empieza así:

Desventurado, ni el fuego ni el vinagre caliente
en un nido de brujas volcánicas, ni el hielo devorante,
ni la tortuga pútrida que ladrando y llorando con voz de mujer muerta
te escarbe la barriga...

Le llama «estiércol de siniestras gallinas de sepulcro, pesado espu-
to, cifra de traición que la sangre no borra»; evoca «la santa leche de las
madres de España» pisoteada, con sus senos, por los aullantes legionarios; alude a «los niños descuartizados», a la salud, a la «paz de herre-
rías», a la vida feliz destrozada por el general, y tras una larga serie de
improperios y consideraciones sobre su infernal destino, concluye el
vate:

Solo y maldito seas,
solo y despierto seas entre todos los muertos,
y que la sangre caiga en ti como la lluvia,
y que un agonizante río de ojos cortados
te resbale y recorra mirándote sin término.

Los versos de Neruda respiran y quieren despertar en el lector un
odio absoluto, telúrico, por así llamarlo, que da sentido a las figuras em-
pleadas, a veces extravagantes. Odio cultivado también por muchos intelectuales durante decenios, tanto en expresiones literarias como políticas. Muy conocido y recitado ha sido también el poema de León
Felipe sobre las dos Españas, que empieza:

Franco, tuya es la hacienda,
la casa,
el caballo
y la pistola...

El general había dejado a su adversario, dice Felipe, «desnudo y
errante por el mundo». Pero la España derrotada se llevaba consigo la
canción, «la voz antigua de la tierra», y dejaba a Franco, por ello, inca-
pacitado para «recoger el trigo o alimentar el fuego». Describe el poeta
un poder tiránico impuesto por la pura violencia, productor de triste-
za y miseria, en versos de belleza y vigor poético no muy frecuentes en
la poesía política. Su veracidad ya es otro asunto.

Mencionaré, entre muchos otros ejemplos, el soneto de Antonio Machado donde, sin nombrarlo, pide para él la horca, quizá por suicidio:

> *Que trepe a un pino en la alta cima*
> *y en él ahorcado, que su crimen vea,*
> *y el horror de su crimen le redima.*

En su misma muerte le acompañaron tales denuestos. Creo que los resumen perfectamente los versos que su óbito inspiró al conocido psiquiatra comunista o ex comunista Castilla del Pino, según anota en sus memorias:

> *Pene no tuvo, ¿te cabe alguna duda?*
> *Pellejo vano entre sus ingles cuelga*
> *Que usó para mear certeramente*
> *Encima de sus muertos y sus tumbas*
> *Millonario en muertes...*

Y termina:

> *Nunca fue muerte por tantos tan deseada.*
> *Nunca fue muerte por tantos bendecida.*

Castilla del Pino hizo pocos años ha unas declaraciones interesantes: «Gracias al odio, la humanidad ha progresado»; «Yo odio a Pinochet, y a Franco lo he odiado durante cuarenta años». Significativamente, no mencionó entre sus odiados a Stalin, Pol Pot o Fidel Castro.

En fin, las imprecaciones más hirientes y cargadas de aborrecimiento han acompañado toda la carrera del Caudillo desde la guerra civil. Y le siguen acompañando, con sorprendente vitalidad, treinta años después de su muerte, en forma de biografías, ensayos o alusiones de intención ultrajante; o de numerosos libros sobre la represión franquista, represión de crueldad sólo comparable con el terror nazi, si hemos de dar crédito a esos escritos: se le aplica incluso el término Holocausto.

Su victoria militar está en el origen de todo ello, y las diatribas contra él transmiten la impresión de que esa victoria constituye un crimen gigantesco, inexpiable, contra el pueblo español, contra la libertad, la paz y el progreso, contra la historia. Ahora bien, ¿a quién venció Franco, realmente?, ¿a la democracia o a una revolución multiforme, aunque principalmente comunista? De esto trataremos más adelante, pero evidentemente fue, en parte muy importante al menos, una victoria sobre los comunistas, defendieran éstos la democracia o su revolución peculiar, como muchos discuten. Por ello no extraña que entre los imprecadores contra Franco destaquen especialmente las izquierdas marxistas y los políticos o intelectuales próximos a ellas. A este respecto, los versos de Neruda impresionan sobre los de cualquier otro, pero entenderlos bien exige leerlos al lado de otro poema suyo no menos célebre, la «Oda a Stalin», donde declara:

Estalinianos. Llevamos este nombre con orgullo.
Estalinianos. Es ésta la jerarquía de nuestro tiempo.

Stalin, predicaba Neruda, encarnaba los ideales de paz y progreso humanos, la esperanza de los oprimidos del mundo. Y por ello, al leer los dos poemas juntos, salta a la vista la perfecta insensibilidad del poeta con respecto a las víctimas, especialmente los niños, cuyas imágenes usa para elevar al paroxismo la indignación moral contra la figura del general. Pues si realmente le indignaran a él tanto como sugiere, mucho más le habrían indignado las víctimas de todas las edades causadas por el estalinismo, en cantidad incomparablemente superior a las atribuibles a Franco. Pero las de Stalin no merecían a Neruda una simple alusión compasiva. Y no porque ignorase su existencia, pues sólo la ignoraba quien cerrase deliberadamente los ojos. Cuando, tres años después de la oda, Jrúschof, sucesor de Stalin, admitió en su célebre informe una parte de los crímenes del déspota, no pillaba a nadie de nuevas, y menos todavía a los comunistas, que tanto habían imitado, donde habían podido, los métodos del «padre de los pueblos». Jruschov reconocía simplemente algo de lo archisabido, y la trascendencia de su informe radica sólo en el carácter oficial del reconocimiento.

No. Para Neruda, las muertes hechas por los franquistas constituían asesinatos imperdonables porque afectaban a personas de ideas «avanzadas», comunistas muchas de ellas, aspirantes a una sociedad perfecta, sin explotación, sin injusticia social, sin opresión. Por el contrario, Stalin mataba precisamente al tipo de criminales representados en el mismo Franco, escoria irrecuperable de la humanidad, defensores de los horrores del capitalismo tanto en su forma de democracias burguesas cómo de regímenes autoritarios o bien fascistas, destinados todos ellos al «basurero de la historia». Stalin hizo fusilar, entre otros, a más comunistas que nadie, muchos más que el Caudillo; pero cualquier orgulloso estaliniano como Neruda sabía que se trataba de falsos comunistas, agentes del imperialismo, fascistas disfrazados.

De ahí el valor simbólico, al margen de su relación con los hechos, de la recurrente imagen de los niños destrozados. No sólo busca exaltar la indignación, sino también ensalzar a los comunistas y progresistas en general, sobre todo a los primeros, personas de ideales puros, luchadores por un porvenir resplandeciente para la humanidad bajo regímenes como el del preclaro Stalin: a ellos, como a los niños, estaba reservado el futuro. Franco asesinaba a los niños y pisoteaba a las parturientas, es decir, intentaba asesinar el porvenir en un intento criminalmente enloquecido y vano —apenas precisa decirlo— por frenar la marcha ineluctable de la historia. Neruda, el «staliniano que lleva este nombre con orgullo», lo expresaba con destreza poética.

La historia ha circulado por otras vías, y quienes se atribuían la posesión del futuro han fracasado desastrosamente; pero nadie debería caer en una euforia precipitada y forzosamente banal. Poco adelantaríamos sin una comprensión de los esquemas mentales que llevan al estalinismo o al nazismo, y ya saldrán otros poseedores del futuro, porque está en la naturaleza humana la tentación de pensar y actuar de ese modo. Algo de eso trataré en el capítulo IV.

En todo caso encontramos una primera evidencia: Stalin y Franco representaban formas mentales, morales y políticas opuestas. El primero, el porvenir radiante, el segundo, el pasado oprobioso. Mirándola en su conjunto, Stalin tuvo una carrera verdaderamente triunfal. A la hora de su muerte dirigía un inmenso imperio extendido por más de media Europa y cerca de la mitad de Asia y era el venerado líder moral de al menos un tercio de la humanidad donde existían regímenes socialistas, así como de millones de otras personas que luchaban por ese ideal en el seno de sociedades todavía *burguesas*. Y de tantos otros que sin luchar lo apoyaban o respetaban, aun si en su fuero interno sintieran poco entusiasmo por vivir en un sistema soviético y prefirieran desarrollar sus carreras en las *atroces* sociedades capitalistas.

Pero no todo habían sido éxitos, y Franco encarnaba, precisamente, uno de los pocos fracasos graves de Stalin. Fracaso en un país quizá poco importante en los órdenes demográfico o económico, aunque bastante más en el orden estratégico, en el cultural, en el histórico y, sobre todo, en el simbólico. Por algo la bibliografía de la guerra civil española —una derrota de Stalin, entre otras cosas— ha sido tan enorme y sigue hoy en pleno auge. Reflejo a su vez de las pasiones que la acompañaron, más fuertes que las asociadas a otros sucesos del siglo XX de mayores consecuencias materiales.

Evidentemente, Stalin no tomó a la ligera la guerra de España, pese a las difíciles condiciones materiales para su intervención en ella. Mandó bastantes de sus mejores armas, y él en persona se ocupó de orientar políticamente a las izquierdas españolas. E hizo cumplir sus instrucciones a través del Partido Comunista español, cuyos jefes ponían a la URSS —patria del proletariado— por encima de la propia España, y sentían el orgullo de obrar como agentes del Kremlin. Stalin no debió de encajar con buen ánimo su fracaso después de tanto esfuerzo, y muchos de los asesores enviados por él a España sirvieron de chivo expiatorio, fusilados o desaparecidos oscuramente en el terror de la época. Los supervivientes (Malinovski, Vóronov, etc.) demostrarían pocos años después, luchando contra la Alemania nazi, que Stalin no había mandado a España personal de segunda categoría, sino a muchos de sus mejores elementos militares y policíacos. Inútil decir que los fusilados, en su mayoría, no lo fueron por baja calidad profesional, sino por «desviaciones ideológicas» más o menos inventadas.

Sería exagerado imaginar un Stalin obsesionado por la victoria de Franco, pues los inmensos triunfos de su carrera le compensaban ampliamente de aquel revés. Con todo, seguía siendo una mancha negra en su expediente, y el aplastamiento de Alemania en 1945 le ofreció una segunda oportunidad para destruir a un adversario detestado, a quien su propaganda había logrado identificar con Hitler y Mussolini. Fuera de España muy pocos, si acaso alguno, dudaron entonces de la pronta liquidación de Franco y no pocos aspiraban a verle seguir la suerte de Mussolini; dentro del país, la perspectiva agrietó considerablemente al régimen. Aunque España no entraba en la esfera de influencia soviética aceptada por Churchill y Roosevelt, seguía teniendo un gran interés para Stalin, y éste hizo cuanto pudo por aislar al franquismo, declarándolo apestado internacionalmente, como primer paso para su derrocamiento. El segundo paso consistió en el maquis, la guerrilla organizada por los comunistas a fin de reanudar la guerra civil, provocar una intervención de las democracias e implantar un régimen, si no socialista, por lo menos muy *avanzado*. Y sin embargo, asombrosamente, también fracasó en esta intentona, segunda humillación que no pudo hacerle una gracia excesiva, aun contando con sus éxitos arrolladores en otros ámbitos.

Pasada la dura prueba, Franco, dictador a quien habían auxiliado Hitler y Mussolini, iba a mantenerse en el poder, a contracorriente no sólo de los comunistas sino de los regímenes democráticos anglosajones y europeos. Estos últimos, si bien renuentes a intervenir en España, casi nunca le obsequiaron con sentimientos mínimamente cordiales y ampararon diversas oposiciones a él. Y así continuaría hasta 1975, año de su muerte por causas naturales tras una penosa agonía muy celebrada por muchos de sus enemigos, y bastante similar a la de otro dictador característico de la época, Tito, el comunista yugoslavo disidente de Moscú.

Las mencionadas expresiones de odio tienen un toque peculiar viniendo, por lo común, de personas ateas. El tema rebasa los límites de este ensayo, pero vale la pena reparar en cómo Neruda sitúa a Franco en un infierno de eternos e indecibles tormentos en el cual, como buen estaliniano, no podía creer. Según su doctrina, Franco, hiciera lo que hiciere, como el propio Stalin, Hitler o él mismo, estaba destinado a convertirse en carroña exactamente igual que todo el mundo, sin ninguna reparación o justicia ulteriores y, por lo tanto, sin ningún significado. Aun si cabía esperar que las generaciones venideras compartieran el odio de Neruda, nada de ese odio podría afectar ya al Caudillo, vencedor hasta el fin, por mucho que le deseasen el imposible infierno.

Por el contrario, Franco era creyente católico, al parecer bastante fervoroso y convencido de la existencia de un cielo y un infierno. En alguna ocasión señaló que la vida sería absurda sin la consideración de un más allá. Pero en general no cultivó ni alentó expresiones de odio tan furiosas como las despertadas por él en sus contrarios, y su testamento político se expresa en términos ponderados, acaso por encontrarse ya a las puertas de la muerte.

Estaría muy lejos de la realidad pretender que toda la literatura antifranquista viene del marxismo. La hay del más variado carácter y de enorme dureza, desde la socialdemócrata hasta alguna democristiana o monárquica. Pero sí cabe señalar que la más persistente, apasionada y dura ha sido la procedente del comunismo y sus aledaños. Como fue comunista la oposición realmente sostenida y seria contra el régimen de Franco.

La atención despertada por el personaje se revela en la ya abultada colección de biografías y ensayos de diverso tipo, sin excluir los psicoanalíticos, a él dedicada. Bastantes aparecieron ya en tiempos de Franco, como las biografías escritas por J. Arrarás, M. Aznar, C. Martín, B. Crozier, L. Ramírez, G. Hills, J. W. D. Trythall, H. G. Dahms o R. de la Cierva, en general favorables y algunas laudatorias, exceptuando la de L. Ramírez. Pero puede decirse que todas ellas han quedado poco menos que eclipsadas por el impacto de la publicada en 1994 por P. Preston. La biografía escrita por este autor inglés marcó época, tanto por su extrema hostilidad al biografiado como por haberla promovido en España poderosos medios de comunicación de la derecha, en especial monárquicos, por razones fáciles de entender. El libro no dejó de suscitar réplicas. R. de la Cierva lo criticó duramente y publicó a su vez una nueva y amplia biografía en 2000. El general R. Casas de la Vega y el coronel C. Blanco Escolá han escrito sendos libros sobre la capacidad militar de Franco, con enfoques opuestos, y C. de Meer ha escrito un ensayo laudatorio. En línea similar a la de Preston se encuentran diversos estudios de J. Tusell, S. Juliá o el libro de E. Moradiellos subtitulado «Crónica de un caudillo casi olvidado», idea extraña, pues todo indica lo contrario: no cesa de crecer la bibliografía sobre él. Siguieron ensayos biográficos más ponderados, como los de B. Bennasar, S. Payne, A. Bachoud, F. Torres, A. Vaca de Osma o J. P. Fusi, éste anterior a Preston y reeditado con éxito después de él. En los últimos años vienen apareciendo los gruesos tomos de L. Suárez, refundición ampliada y corregida de otra biografía anterior en ocho volúmenes. Por su abundante documentación de primera mano constituye actualmente la obra fundamental al respecto, de obligada consulta para quien desee aproximarse al tema.

Por lo común, hoy la actitud académica prevalente hacia el viejo Caudillo oscila entre la tradicional aversión, muy reavivada en los últimos años, y la consideración del personaje como un dictador de segundo orden, cruel, vulgar y mediocre. A mi juicio, lo último no puede sostenerse. La profundidad del odio que le ha sido tributado, merecido o no, indica algo muy distinto de la mediocridad, y lo mismo el hecho de que a lo largo de cuarenta años derrotara, militar y políticamente, a todos sus enemigos, nada desdeñables muchos de ellos, sorteando peligros realmente letales. Esto no hace su trayectoria histórica positiva, pero excluye para ella el calificativo de mediocre. Dejo aparte la manía actual de retratarlo como un imbécil o poco menos. Azaña solía quejarse de la poca afición de su gente a usar el cerebro, y quizá repetiría hoy la crítica a quienes así «razonan».

Este libro, vaya por delante, no es una biografía, ni siquiera muy resumida, sino un ensayo sobre la significación histórica de Franco. Por ello he tratado de hacer un balance global en torno a las cuestiones clave, marginando mil detalles secundarios o sus avatares personales, o sus años anteriores a la República. De no haberse sublevado contra el Frente Popular y haberlo vencido, hoy apenas conocerían a Franco los especialistas en los conflictos del protectorado marroquí, conflictos que él mismo calificó de provinciales aunque magnificados por las rivalidades de partidos. Me centro en el efecto de sus acciones sobre España, e indirectamente Europa, durante la República, la guerra civil y sus años de dictador.

Dejo de lado, salvo referencias indispensables, las lucubraciones de tipo psicológico o personal, no digamos las tan pueriles como constantes referencias a su estatura o la fuerza de su voz. Llama la atención el amplio espacio concedido a ese tipo de consideraciones en muchos trabajos, pero, a mi juicio, la tasa de arbitrariedad en ellas es demasiado alta como para tomarlas muy en serio. Además, la incidencia histórica de un personaje no depende especialmente de su psicología, en definitiva invisible, sino de sus actos, verificables en la mayor parte de los casos. Por supuesto, el examen de los actos permite vislumbrar el carácter de los actores, pero, insisto, no es ése el objeto de este estudio, sino más bien poner de relieve la coherencia general de los actos mismos.

He seguido el método de exponer sucesivamente las cuestiones más discutidas en relación con el personaje y tratar de clarificarlas mediante un análisis crítico. Casi cada una de esas cuestiones podría dar lugar a un libro, y muchas han motivado varios, pero confío en que la síntesis de los datos y las relaciones entre ellos permitan llegar a conclusiones claras, aunque, desde luego, nunca irrevocables.

CAPÍTULO PRIMERO
Franco ante la República

En la historiografía todavía dominante, la principal acusación a Franco por la guerra civil consiste en haberse rebelado contra un régimen reformista de izquierdas, *avanzado* pero básicamente normal y democrático, el cual, sin esa rebelión, habría progresado de forma pacífica... aun causando algunos inevitables perjuicios a una oligarquía atrasada y opresiva. Esta versión ha sido la más ampliamente divulgada durante muchos años por numerosos comentaristas, y recientemente se ha visto reforzada por trabajos como los de Preston. Franco habría actuado como un típico espadón reaccionario, intolerante hacia cualquier progreso social, enquistado en el seno de la República a la espera de su oportunidad para destruirla. Y esa oportunidad habría llegado por fin en 1936.

Más recientemente, y coexistiendo con la versión anterior, diversos autores aceptan la realidad de una tensión revolucionaria previa al levantamiento de julio del 36, pero no la consideran capaz de haber tomado el poder. Es más, si el estallido revolucionario se produjo finalmente habría sido precisamente por reacción al golpe militar de Mola y Franco. Malefakis lo explica así:

> No había en la España de 1936 revolución social alguna, ni inminente ni inevitable. Prevalecía, sin duda, un espíritu revolucionario, pero, de haber querido imponerse por su propia fuerza, habría sido aplastado por el Gobierno republicano de clase media exactamente igual que se había acabado con las revueltas obreras de 1933 y 1934.[1]

En consecuencia, Franco podría aparecer bien como el feroz reaccionario del caso anterior o como un imprudente, acaso enloquecido por un temor infundado. Su actitud podría asimilarse a la atribuida —falsamente, como creo haber demostrado— a los líderes socialistas en 1934, los cuales decían sentirse asustados ante la inminencia de un golpe fascista. Pero ese temor alocado no menguaría la culpa de Franco, pues no sólo le habría impulsado a una rebelión innecesaria, sino también a provocar la revolución que decía querer evitar.

Una tercera versión, semejante a la anterior, la mantienen historiadores de derechas, como Seco Serrano, basándose en ciertas impresiones del catalanista Cambó. Éste acusó la existencia de un proceso revolucionario y apoyó a Franco, pero en algún momento supuso injustificada la rebelión, por cuanto habría bastado esperar un poco, hasta que las izquierdas extremistas intentasen alzarse como en octubre del 34, y entonces el Gobierno los aplastaría sin necesidad de una guerra civil ni de acabar con el régimen republicano. Aquí aparece Franco con contornos más difusos, quizás imprudente o precipitado, quizás oportunista, pero en todo caso culpable de la guerra.

Y en realidad ésta es la cuestión crucial en torno a la guerra civil y a la significación histórica de Franco. ¿Tuvo alguna justificación la rebelión encarnada, para la historia, en él, aunque su organizador fuera Mola? O, en otras palabras, ¿ocurrió la guerra civil debido fundamentalmente a un peligro revolucionario, o la causó un peligro reaccionario o fascista?

Abordar este asunto exige clarificar la actitud de Franco ante la República. La interpretación más generalizada lo retrata como enemigo irreductible de la democracia y como un oportunista atento a su carrera profesional, pero también a la ocasión de golpear y reducir a escombros aquella república repleta de promesas para España. Quienes mantienen este punto de vista no pueden aducir, sin embargo, un solo momento en que Franco faltase a la disciplina militar o se inmiscuyese en política antes, precisamente, de 1936. Los hechos no prueban una intención antirrepublicana en el personaje, sino más bien una evolución al compás de los sucesos de la época.

Franco se había formado profesional e ideológicamente en el seno del sistema liberal de la Restauración, y su actitud en todo momento había sido profesional. En su mentalidad, un militar debía servir a España al margen de la política concreta, ateniéndose a la legalidad del régimen presente en el país, excepto en caso de revolución. Ante el desarrollo un tanto convulso de la política española desde principios de siglo, en algún momento se había creído llamado a desempeñar un papel histórico relevante, pero en todo caso mostraría durante la República, hasta el mismo final, una renuencia extrema a comprometerse o comprometer al ejército en golpes o intervenciones políticos.

A este respecto creo muy significativa la carta que envió a su hermano Ramón, poco después del fracaso republicano en el intento de derrocar a la monarquía mediante un golpe militar. Ramón estaba comprometido con el golpe, y hubo de exiliarse. Viéndose en mala situación económica, pidió ayuda a su hermano, recibiéndola junto con una reprimenda donde éste expone tanto su repugnancia al golpismo como su actitud política general:

> Si serenamente meditas sobre los resultados de tu actuación, si lees los comentarios de la totalidad de la prensa extranjera, si pudieras escuchar hoy a los que se embarcaron contigo en la loca aventura, desengañados de sus errores, te convencerías de que lo que podía encajar en el cuadro de mediados del pasado siglo es imposible hoy en que la evolución razonada de las ideas y los pueblos, democratizándose dentro de la ley, constituye el verdadero progreso de la patria, y que toda revolución extremista y violenta la arrastrará a la más odiosa de las tiranías.[2]

La carta, muy citada desde su exposición por Ricardo de la Cierva, pero remitiéndose casi siempre a sus párrafos más triviales, resulta de lo más expresiva: demuestra su aceptación, no fervorosa pero clara, de la democracia, siempre que procediera de una evolución legal. Interesa especialmente porque prueba la sinceridad básica de sus explicaciones posteriores sobre su actitud hacia la República. Según él, y los hechos conocidos no le desmienten, lejos de intrigar con los escasos militares antirrepublicanos, les recomendaba:

> No quitéis al pueblo la ilusión por la República y contribuid a que ésta sea de orden y moderada. De no conseguirse esto, se convertirá en soviética.

O bien:

> Mientras haya alguna esperanza de que el régimen republicano pueda impedir la anarquía o no se entregue a Moscú, hay que estar al lado de la República, que fue aceptada por el rey.

Y otras por el estilo. También aclara:

> No quiere decir que yo fuese republicano, pero acataba los hechos consumados aunque no me gustasen.[3]

El futuro Caudillo vio sin alegría la caída de la Corona tras las elecciones municipales de 1931, máxime por las circunstancias tan poco ejemplares como se produjo. En sus apuntes personales, esbozos rápidos con vistas probablemente a escribir unas memorias, señala su impresión:

> Hay que reconocer la ilusión con que grandes sectores de la nación española recibió *(sic)* a la República que nadie esperaba y que fue consecuencia directa de los desaciertos políticos de los partidos políticos monárquicos en los últimos años (...) La falta de moral y autoridad de los que ejercían el poder hizo el resto, al entregar el poder a los revolucionarios sin quemar un cartucho en defensa de la legalidad.

Revolucionarios se llamaban a sí mismos los republicanos por entonces, y no debe confundírselos con los movimientos revolucionarios obreristas.[4]

También tuvieron que alarmarle las jornadas de incendios de iglesias, bibliotecas, centros de enseñanza y obras de arte invalorables, antes de un mes de instaurado el nuevo régimen. Sucesos de pésimo augurio, empeorados por la reacción de las izquierdas y la semioficial del Gobierno atribuyéndolos —y justificándolos de ese modo— «al pueblo» y no a sus autores reales, una especie de delincuentes politizados. Los católicos reaccionaron sin violencia a la salvaje agresión, y los efectos inmediatos resultaron poco visibles, pero no por ello menos trascendentales. La República había llegado sin oposición alguna, ni siquiera de los monárquicos, y quienes sólo esperaban de ella convulsiones, como Cambó, vieron justificados sus temores. El entonces presidente Alcalá-Zamora, que contribuyó con su debilidad y demagogia a los hechos, apunta que los incendios crearon al nuevo régimen

> enemigos que no tenía; mancharon un crédito hasta entonces diáfano e ilimitado; motivaron reclamaciones de países tan laicos como Francia o violentas censuras de Holanda. Se envenenó la relación entre los partidos.[5]

Y así fue. Una gran masa de la población se distanció del nuevo régimen, y algunos militares monárquicos comenzaron a conspirar contra él, aunque con nula efectividad práctica. Entre los conspiradores no estuvo Franco, seguramente indignado por los desmanes, pero esperanzado en que ellos fueran corregidos y no marcasen una orientación definitiva. En sus *Apuntes* señala:

> El crédito de la República se desvaneció en muy pocos días. La quema de iglesias y conventos, la persecución de las creencias religiosas, la trituración del Ejército, la entrega a la masonería, el desorden social, la anarquía en el campo. La persistencia de las leyes de excepción empujaron *(sic)* a la defensa a los distintos sectores de la sociedad.[6]

Este breve dictamen no carece de fundamento. Es bien conocido el aumento de los desórdenes sangrientos en el campo y las ciudades, promovidos sobre todo por los anarquistas, que terminarían por arruinar el prestigio de Azaña.

En cuanto al ejército, Franco y la mayoría de los militares aceptaban la reforma azañista, pero sufrían mal el estilo antimilitar y de trágala asociado a ella. La imposición por rodillo, no por consenso, de una Constitución más anticatólica que laica, y la influencia de la masonería, con mayor número de diputados que cualquier partido político, son también hechos hoy bien estudiados. Y no menos la reducción drástica de los derechos constitucionales por la Ley de Defensa de la República, que sometía al arbitrio del Gobierno la libertad de expresión y otras.

Motivo más personal de desafecto a la República fue para Franco la disolución de la Academia General Militar de Zaragoza, medida probablemente innecesaria y negativa tomada por Azaña. El general Franco, que con Millán Astray había creado la Legión, el único cuerpo realmente efectivo del ejército español, dirigía también la academia con aprobación casi generalizada. Su discurso de despedida a los cadetes constituyó un canto a la disciplina y al patriotismo, interpretable también como una protesta soterrada por la decisión de Azaña. Éste así lo entendió, y lo tomó muy a mal. Pensó en proceder contra el militar por vía judicial, y, no pudiendo hacerlo, lo postergó en el escalafón y lo hizo vigilar por la policía.

De cualquier modo, ninguno de estos hechos indujo a Franco a una actitud levantisca. El límite de su acatamiento a la República estaba en la revolución social o la amenaza a la integridad de la nación, y mientras tales peligros no se hicieran muy patentes parecía dispuesto a tragar muchos *sapos*. Ese talante quedó bien de relieve cuando otro general, Sanjurjo, preparó un golpe de Estado en 1932 no para derrocar al régimen, como se ha dicho, sino probablemente para expulsar a Azaña y sustituirlo por Lerroux, un viejo republicano, exaltado en los comienzos de su carrera y moderado por entonces. Sanjurjo había desempeñado en la llegada de la República un papel clave, muy superior al de Azaña: siendo director de la Guardia Civil, rehusó emplearla para disolver las manifestaciones antimonárquicas, y en seguida se puso a disposición del Comité republicano. Luego, alarmado ante el rumbo seguido por el régimen, o por causas más personales, decidió rebelarse para corregirlo de raíz. Franco no debió de sentir excesivo respeto o simpatía por estas veleidades de Sanjurjo —tendió a atribuirlas a decepción por no haber sido recompensado como esperaba— y consideró que tales actuaciones irreflexivas podían muy bien precipitar el caos en lugar de evitarlo.

Desde luego rehusó entrar en el complot, al que fue tentado reiteradamente. Los conjurados, conociendo su prestigio, hicieron correr el bulo contrario:

> Entonces, siempre que tenía que venir a Madrid a un asunto oficial, se decía que yo estaba preparando una sublevación, lo cual me causaba una gran indignación, pues nunca pensé en sublevarme contra la República mientras no viera claramente que este régimen estaba a las puertas del comunismo;

por lo cual,

> cuando me encontré con que algunos jefes habían propalado por Madrid que yo estaba metido en un complot contra la República, les increpé duramente, amenazándoles con tomar medidas enérgicas.[7]

No sólo en las derechas corrían tales rumores. El presidente Alcalá-Zamora, queriendo sondearlo, tuvo un encuentro, en mayo del 32, con

> el joven general Franco, en torno a quien existe la sospecha (...) de que aspire a ser caudillo (...) de la reacción monárquica. El diálogo ha sido afectuoso (...) aunque nunca explícito, porque el apellido no se extiende a la conversación de este hombre interesante y simpático (...) El asentimiento a mi apreciación de que una aventura reaccionaria, sin ser mortal para la República lo sería para cuanto queda, o espera rehacerse, de sano y viable sentido conservador, no me dejan mala impresión.[8]

Es decir, Franco confiaba en que el «sano sentido conservador» se rehiciera a pesar de las dificultades, y entendía la *sanjurjada* como contraproducente en ese camino.

Así, si bien sus simpatías por la República no bastaban para inducirle a denunciar el golpe proyectado —por otra parte bien conocido por el Gobierno—, es evidente que lo miró con desconfianza. Conocedor de sus conmilitones, también dudaba de que pasara de las palabras. Pero el golpe se produjo y fracasó en agosto, dando pie a una represión generalizada sobre la derecha, que en su gran mayoría había permanecido ajena a él, y proporcionando a Azaña su mayor triunfo político: aprovechando el impulso del éxito sacó adelante, de golpe, la reforma agraria y el estatuto catalán. Sanjurjo pidió a Franco que interviniera como abogado defensor suyo, pero éste rehusó con severidad:

> Usted, al haberse sublevado y fracasar, se ha ganado el derecho a morir.[9]

Las esperanzas puestas por Franco en una rectificación de la República parecieron justificarse de lleno en noviembre de 1933 cuando, tras dos años de experiencia izquierdista, el pueblo dio la victoria electoral, por gran mayoría, al centro-derecha: cinco contra tres millones de votos. Rara vez insisten las historias de izquierda en este hecho clarificador: no fue una conspiración militar, ni manejos de la «oligarquía», los causantes del desastre izquierdista, sino el voto popular. Más todavía: no fueron las derechas quienes, sobre todo, desacreditaron a Azaña, sino otros grupos de izquierda, en particular los anarquistas. El golpe de gracia a su Gobierno puede considerarse el aplastamiento de la insurrección ácrata de enero de 1933, que dio lugar al episodio de Casas Viejas, cuando unidades de la republicana Guardia de Asalto hicieron una razia de campesinos en dicha población gaditana y asesinaron a doce de ellos, además de incendiar una chabola donde resistía la familia de un rebelde y quemar en ella a varios de sus ocupantes.

Sobre las causas del vuelco electoral de 1933 se ha especulado mucho, más de lo que merecen, pues saltan bastante a la vista: las reformas emprendidas en el bienio izquierdista resultaron en su mayoría un fiasco, aparte de acompañarse de un sectarismo, violencia y crispación social que las volvían harto indigestas para la mayoría de la sociedad, incluso cuando estaban bien enfocadas, como la del ejército.

Así la reforma agraria había quedado en unas medidas irrisorias, y en ningún caso lograría mejorar sustancialmente la situación de los campesinos; el estatuto catalán, mirado en Madrid como solución al problema creado por los nacionalistas, lo consideraban éstos un mero paso hacia una práctica secesión futura; los aumentos mal medidos de salarios en el campo redundaban muchas veces en aumento del paro; el crecimiento, no muy importante, en los presupuestos de enseñanza, venía neutralizado por la politización del profesorado y la represión o perturbación de la enseñanza católica, con cierre de centros prestigiosos; los muertos por hambre habían vuelto a las cifras de principios de siglo; la delincuencia común había crecido impetuosamente, y los atentados y choques políticos habían causado en sólo dos años cerca de trescientos muertos, la casi totalidad de ellos entre las mismas izquierdas (diez la *sanjurjada*). Con razón alegaban algunos que bajo la monarquía nunca habían muerto tantos obreros en la calle. Ni se habían cerrado tantos periódicos, o detenido sin acusación o deportado a las colonias africanas a tantos desafectos... Cualesquiera logros del período que quieran alegarse perdían brillo ante realidades tan crudas y tan duras.

Franco, como tantos otros, debió de ver con satisfacción la victoria electoral de la derecha en 1933. Pero lo peor estaba por venir, pues las izquierdas, simplemente, rechazaron el veredicto de las urnas. Azaña y otros líderes afines, convencidos de tener un derecho especial sobre el régimen por llamarse «republicanos», intentaron el golpe de Estado: presionaron al jefe del Gobierno Martínez Barrio y al presidente de la República, Alcalá-Zamora, para impedir la reunión de las Cortes correspondientes y convocar nuevos comicios con la seguridad de una victoria izquierdista. Los nacionalistas catalanes de la Esquerra (ERC) se declararon «en pie de guerra». Los anarquistas replicaron, en diciembre, con su más sangrienta insurrección: casi cien muertos.

Pero la posición más demoledora correspondió a los socialistas. Éstos, gracias a su colaboración con la Dictadura de Primo de Rivera, habían llegado a la República como el partido más influyente, masivo y organizado, con diferencia, convirtiéndose en árbitros del régimen. Desde mediados de 1933, el PSOE había sufrido una rápida y creciente radicalización al considerar varios de sus líderes, en especial Largo Caballero, que estaban creadas en España las condiciones para, según su doctrina marxista, implantar la «dictadura del proletariado»; es decir, un régimen parecido al soviético de Stalin. No en vano Largo era saludado por sus seguidores como el *Lenin español*.

No todos los socialistas compartían esa orientación. Besteiro, líder de la UGT, criticaba la «locura dictatorial», el «envenenamiento de los trabajadores» por una propaganda mendaz, y pretendía mantener al PSOE en el respeto a la legalidad republicana. Denunció el pretexto de un imaginario golpe fascista con que los *leninistas* o *bolcheviques* pretendían encubrir su decisión de ir, literalmente, a la guerra civil, pero, como éstos aclararon, la cuestión real era otra:

> Existe un espíritu revolucionario; existe un Ejército completamente desquiciado, hay una pequeña burguesía con incapacidad de gobernar, que está en descomposición (...) Tenemos un Gobierno que

no conoce la historia de España, que es el de menor capacidad, el de menos fuerza moral, el de menos resistencia...

Por lo tanto, no podía desaprovecharse la oportunidad «histórica» de acabar con el capitalismo. El partido debía rebelarse contra el Gobierno legítimo de centro derecha, preparando una insurrección

con todos los rasgos de una guerra civil.[10]

Besteiro perdió la partida cuando otro líder prestigioso, Prieto, apoyó a Largo. Tras la derrota electoral, las intrigas por el poder dentro del partido cobraron un encono muy próximo a la violencia física, y la fracción besteirista quedó arrinconada, privada de cualquier poder práctico.

He estudiado con detenimiento la gestación de estos movimientos y sus justificaciones ideológicas y políticas en *Los orígenes de la guerra civil*, y he expuesto más popularmente su desarrollo en *1934: comienza la guerra civil*. No viene al caso entrar aquí en detalles, pero hoy está fuera de toda duda razonable, creo, el hecho de que los socialistas y los nacionalistas catalanes de izquierda quisieron, organizaron y por fin llevaron a cabo la guerra civil en octubre de 1934. A la hora de la verdad, casi todos los obreros y los catalanes desoyeron sus llamamientos bélicos, pero se trató de mucho más que una intentona, ya que dejó cadáveres en veintiséis provincias, y en Asturias sí cuajó como estaba previsto: una auténtica guerra durante dos semanas, debiendo acudir las mejores fuerzas del ejército para sofocarla.

Franco tuvo una intervención especial en estas convulsiones. Llamado por el ministro de la Guerra como asesor, diseñó la estrategia para sofocar la insurrección, aunque su autoridad ejecutiva sobre el terreno fue precaria. El general López Ochoa, encargado de las operaciones en Asturias, desobedeció sus indicaciones en más de una ocasión, hasta negociar con los insurrectos una innecesaria rendición condicional, para disgusto de Franco. Éste también envió tropas a Barcelona, por vía marítima, que, pese a su premura, llegaron cuando ya el general Batet había reducido a los rebeldes de la Generalitat con eficacia y escaso derramamiento de sangre. Entre Franco y Batet existía una fuerte enemistad desde que el segundo, tras el desastre de Annual en 1921, elaboró un informe donde pintaba a Franco como cobarde u oportunista, contra testimonios opuestos casi unánimes, empezando por el del socialista Prieto.*

La insurrección de octubre del 34 demostró, con sus 1.400 muertos y graves destrucciones en diversas provincias, la realidad ineludible de una muy seria amenaza revolucionaria. Pero sus consecuencias generales fueron incluso peores. Al revés que el golpe de Sanjurjo, respaldado sólo por una fracción marginal de la derecha, el de octubre había aunado a los principales partidos de la izquierda, más los comunistas y en algunos casos los anarquistas; y lo habían secundado políticamente las izquierdas republicanas con declaraciones subversivas (Azaña había intentado organizar en julio un segundo golpe de Estado contra el Gobierno legal). Por consiguiente, había intervenido la práctica totalidad de la izquierda, y está claro que la convivencia democrática se vuelve sencillamente imposible si la oposición casi en pleno opta por la subversión violenta. Esta implicación no se percibió entonces en toda su amplitud porque la derecha en el poder defendió explícitamente las libertades y la legalidad republicana, en lugar de contragolpear a las izquierdas y derribar el régimen... lo cual habría hecho si hubiera tenido algo de fascista, como la motejaban las izquierdas. No sólo eso: el golpe revolucionario había sido el más grave y sangriento de los registrados en Europa occidental desde la Comuna de París, y también, sin embargo, el menos reprimido desde el poder, como ha mostrado Stanley Payne en *El colapso de la República*.

La derecha —no toda, pero sí el grueso de ella— había demostra-

---

* López Ochoa, masón, acordó con Belarmino Tomás, jefe insurrecto y masón también, la huida de los dirigentes socialistas y que las tropas de Marruecos no entrasen en vanguardia en la cuenca minera. Según las izquierdas, esas tropas, bajo la autoridad directa del coronel Yagüe y la superior de López Ochoa, cometieron innumerables atrocidades, pero nunca se presentó ninguna prueba fehaciente de las mismas, ni hubo reclamaciones por daños cuando las izquierdas volvieron al poder en 1936. Sobre el caso de Barcelona vale la pena reproducir las palabras de Hilari Raguer, un fraile de Montserrat aficionado a estudios de historia, apasionado nacionalista y antifranquista: «Franco (...) habría querido (...) que Batet hubiera actuado como en una guerra total, arrasando los edificios históricos y simbólicos y provocando una matanza.» No existe el menor indicio de tales deseos de Franco, pura fantasía de Raguer que él expone como apreciación objetiva. Escrito en 1994, muestra cómo, tratándose de Franco, tales acusaciones arbitrarias parecen una virtud a muchos.[11]

do su disposición a respetar la Constitución, aun disgustándole muchos de sus aspectos, en especial su anticatolicismo. Y la debilidad de su represión debió de servir para reconciliar a los vencidos, pero en realidad no sirvió de nada. La única esperanza radicaba en que el fracaso de octubre hiciera rectificar a los guerracivilistas y golpistas, pero éstos apenas cambiaron de actitud y replicaron con una gigantesca campaña, nacional e internacional, denunciando supuestas atrocidades de la represión derechista en Asturias. Hoy sabemos que la campaña combinó abiertas invenciones con exageraciones sobre algunos crímenes represivos, no muy extraños en una lucha tan porfiada, e inferiores a los cometidos previamente por los revolucionarios. Sin embargo, esa falsedad básica no impidió a tales denuncias cumplir una función política de decisiva trascendencia histórica: sirvió de aglutinante para unas izquierdas en general mal avenidas entre sí, hasta formar el Frente Popular; y cambió el ambiente ciudadano. En 1934, las masas, salvo en parte de Asturias, habían desoído los llamamientos a las armas y habían permanecido en la legalidad, pero la campaña sembró en ellas tal indignación y ansias de revancha que para 1936 había fructificado, si vale la palabra, en un ánimo irreconciliable, de guerra civil.

Franco, autor destacado de la derrota de la revolución, se ganó un absoluto aborrecimiento de las izquierdas. Sobre él hacían recaer las máximas responsabilidades por las presuntas atrocidades represivas, idea mantenida por diversos autores muchos años después.* Con abundante retórica se ha logrado desvirtuar, incluso hasta hoy, el dato fundamental: que su papel consistió en defender la ley y derrotar con rapidez la insurrección, según él mismo explica:

> Había que reducir la resistencia con rapidez si no se quería suceder una guerra civil.[12]

---

* Véanse, una vez más, las expresiones de Preston: «Libre de las consideraciones humanitarias que hacía que algunos oficiales superiores más liberales dudaran de utilizar todo el peso de las fuerzas armadas contra civiles, Franco afrontaba el problema que tenía ante sí con gélida crueldad», «Las bajas de mujeres y niños, junto con las atrocidades cometidas por las unidades marroquíes de Yagüe, contribuyeron a la desmoralización de los revolucionarios, prácticamente desarmados», etc.[13] El buen Preston no se cree obligado a detallar las brutalidades, la «gélida crueldad» ni el caso de los «civiles», en realidad milicianos bien armados. Sus frases parecen una prolongación de aquella campaña propagandística de 1934-1936.

Éste es el hecho realmente significativo, y da igual si obró así por respeto genuino a la legalidad, por ambición de hacer carrera o por cualesquiera otros motivos que deseen adjudicarle unos u otros. Indiscutiblemente, él contribuyó de modo muy importante a salvar la Constitución y el orden republicanos. Debemos reseñar asimismo su rechazo a una propuesta de golpe de Estado hecha por grupos monárquicos, para aprovechar las favorables circunstancias. Fue la primera de tres tentativas similares que él haría fracasar.

También había quedado bien a la luz del día la gravedad del proceso revolucionario, cualquier cosa menos una entelequia. Creo necesario insistir en ello porque estos hechos clave desaparecen a menudo bajo una maraña de consideraciones justificativas o propagandísticas.

La victoria sobre la revolución pareció abrir al centro-derecha un período de tranquilidad después de un primer año de gobiernos sometidos a permanentes presiones desestabilizadoras y golpistas.* Pero no iba a ser así. Ante los vencedores se abría el dilema de si aplicar un castigo ejemplar para desalentar nuevas revueltas o una política de lenidad para procurar la reconciliación. Gil-Robles, líder de la CEDA, se oponía al «impunismo», sobre todo con los jefes, pues

> es absurdo pensar que una política de mal entendida clemencia habría de tener efectos favorables a la pacificación del país. La revolución de octubre fue un intento fracasado de aplastamiento de un sector amplísimo de la sociedad española; un plan, que luego se repetiría, de aniquilamiento de una mitad de España por la otra media. La debilidad del poder público en ocasiones como ésta, acelera el proceso de descomposición en lugar de contenerlo.[14]

Franco, desde luego, coincidía con Gil-Robles. Otros, en particular el presidente de la República, Alcalá-Zamora, pensaban lo contrario, y su política, de aspiración conciliatoria, terminó triunfando: sólo fueron ejecutados cuatro insurrectos de segundo o tercer orden, implicados en crímenes o en deserción militar. Para imponer esa salida, el

---

* En *1934: comienza la guerra civil* resumo con amplitud las operaciones desestabilizadoras organizadas a lo largo de ese año por los socialistas, la Esquerra, los azañistas y el PNV conjuntamente.

presidente tuvo que bordear la ley o salirse de ella. Gil-Robles, exasperado, animó a algunos generales a responder con una especie de golpe militar para cortar el paso al presidente. Franco, nuevamente, impidió tal deriva.

Ya durante 1934 Alcalá-Zamora, hombre conservador en realidad, pero empeñado vanamente en ganarse el aprecio de las izquierdas como progresista, había creado a los gobiernos centristas obstáculos que nunca había puesto antes a Azaña. Y desde la revuelta de octubre sus intromisiones, a veces en el límite de la legalidad, entorpecerían continuamente la labor gobernante de Lerroux y Gil-Robles,* provocando indirectamente la dimisión del último en abril de 1935.

Algo después de la insurrección de octubre, Franco fue destinado a Marruecos como comandante en jefe, pero cuando Gil-Robles entró en el Gobierno, en mayo, lo designó jefe del Estado Mayor del ejército. Alcalá-Zamora vio con disgusto tanto la entrada del líder cedista en el Gobierno, y precisamente en el crucial Ministerio de la Guerra, como la designación de Franco, por quien sentía creciente despego. El general, desde luego, tampoco estaba muy satisfecho. En sus apuntes observa:

> Salvamos a la nación y con ella a la República; pero ésta desconfiaba de nosotros.[15]

De todas formas, su nuevo cargo lo puso por primera vez en contacto directo con la política:

> La confianza con el que Ministro desde el primer día me distinguió y, pese a mi desgana hacia lo político, me ofreció ocasión para conocer las interioridades y debilidades de la política de partidos.

---

* En 1933, el partido más votado había sido la CEDA, pero Gil-Robles, pese a tener la mayor fuerza parlamentaria, había dejado gobernar a Lerroux, del Partido Radical, segunda fuerza en las Cortes. Sólo en octubre de 1934 había presionado para que tres ministros de la CEDA entrasen en el Gobierno —con pleno derecho democrático—, lo cual fue tomado como pretexto por las izquierdas para desatar la insurrección. Lerroux encabezó la mayoría de los gobiernos durante 1934 y 1935. Gil-Robles sólo llegaría a ministro de la Guerra en mayo de 1935, tras una de las numerosas crisis gubernamentales.

En su nueva posición iba a durar sólo unos meses, precisamente a causa de la actitud de Alcalá-Zamora, pero los aprovechó a fondo para aplicar algunas lecciones extraídas de la insurrección del 34. Sintiéndose directamente amenazado, tomó precauciones personales y creó una sección de información anticomunista y de contraespionaje. Y, sobre todo,

> durante el tiempo que duró mi presencia en el Estado Mayor Central del Ejército (...) Se otorgaron los mandos que un día habían de ser los peones de la cruzada de liberación y se distribuyeron las armas en forma que pudiesen responder a una emergencia.[16]

Apreciación demasiado optimista, pues sus previsiones serían desmanteladas cuando las izquierdas volvieran al poder, en febrero del 36, pero prueba de su preocupación ante un impulso revolucionario de la República, muy posible al no haber rectificado las izquierdas sus puntos de vista.

También intensificó su relación con la UME (Unión Militar Española), asociación de predominio monárquico, rival de la UMRA (Unión Militar Republicana Antifascista), ésta de origen masónico, fundada en 1934 en la guarnición de Marruecos. La UME respondía, según él, a la

> necesidad de dar unidad y cabeza al cuerpo de oficiales ante el peligro de la Patria. Marchaba al compás de la desesperación de España como reflejo de la sociedad. (...) La revolución de Asturias y Cataluña y lo que pudo pasar abrió los ojos a la oficialidad de los peligros que amenazaban (...) La consigna que di a ese movimiento era solamente patriótica: mantener la unidad de fe y el patriotismo del Ejército, seguro que si llegaba la hora de peligro no les haría falta [¿no les faltaría?] el Jefe, pero lo que no se podía era inutilizar el Ejército y sus posibilidades futuras con conspiraciones de vía estrecha ni pronunciamientos militares tipo siglo pasado, que una revolución necesitaba estar justificada y ser respaldada por el pueblo.[17]

Franco recibía información periódica de la Entente Internationale Anticommuniste, asentada en Ginebra, organización dedicada a alertar a los responsables políticos y militares de diversos países sobre las acciones y perspectivas soviéticas. A través de ella recibió información, que no debió de disminuir sus preocupaciones, sobre el VII Congreso de la Internacional Comunista (Comintern), celebrado en Moscú en julio de ese año. Ese congreso marcó la nueva orientación estratégica de los frentes populares, concebidos como alianzas antifascistas con sectores *burgueses*, destinadas a incrementar la incidencia política comunista para, en el momento oportuno, empujar hacia un régimen sovietizante. Antes, Stalin había ordenado una rígida línea de «clase contra clase», enfrentamiento con todos los partidos *burgueses* y con sus «agentes» socialdemócratas, llamados también «socialfascistas». Ahora, los comunistas iban a flexibilizar mucho su línea y actuar a modo de caballo de Troya, como aconsejaba Dimitrof, líder de la Comintern. De ello tomó buena nota Franco, que no pensaba, de todas formas, en un golpe inminente:

Debíamos desear que la República superase sus dificultades.[18]

En el otoño de 1935, Alcalá-Zamora dio el golpe de gracia a los centristas de Lerroux al colaborar en una intriga contra éste, conocida como *estraperlo*, basada en un caso de corrupción insignificante. La intriga había sido fraguada por Prieto y Azaña junto con un delincuente extranjero llamado Strauss. Y tras aniquilar políticamente a Lerroux, en diciembre, precipitó la crisis del régimen al expulsar a la CEDA del Gobierno. La medida, nuevamente, era sumamente arbitraria aunque atendiese a la letra de la ley, y además se tomaba en un momento de paroxismo de los odios en la sociedad española. Paradójicamente, Alcalá-Zamora pensaba ganarse el apoyo de la izquierda y orientar un movimiento de tipo centrista para encauzar definitivamente al régimen por la vía de la moderación. Gil-Robles, consciente de las espeluznantes perspectivas que abrían las maniobras del presidente, intentó disuadirlo de sus fantasías; pero fue en balde. En plena desesperación sugirió un golpe de Estado a varios militares de su confianza, y nuevamente la oposición de Franco lo impidió.

¿Qué queda como balance de estos cinco años en cuanto a la actitud de Franco hacia la República? Creo que pueden establecerse con claridad cuatro puntos:

1. Franco nunca faltó a la disciplina militar ni se inmiscuyó en política.

2. No sólo no participó en movimientos golpistas, sino que impidió tres posibles intentonas de ese tipo.

3. Llegado el caso defendió eficazmente al régimen contra las izquierdas que lo asaltaban, en vez de aprovechar la inmejorable ocasión para destruirlo, como habría hecho de ser el artero enemigo en la sombra, a la espera de la ocasión de golpear.

4. También salta a la vista su creciente preocupación ante las convulsiones y tendencias revolucionarias, frente a las cuales su rechazo fue siempre nítido.

No encontramos en él, pues, estima por la República, pero tampoco oposición a ella y sí una escrupulosa conducta legalista.* A mi juicio ninguna especulación psicológica, política o moralista puede desmentir estas evidencias, la cuales coinciden con sus propias explicaciones al respecto. A esos hechos cruciales debe atenerse el historiador si busca comprender y hacer comprender la realidad, sin dejarse desviar por detalles secundarios y menos aún por lucubraciones más o menos arbitrarias.

Esta línea de conducta esencial de Franco sólo iba a cambiar desde febrero de 1936.

---

* Mucho más escrupulosa que la de los políticos, empezando por Azaña, que intentó dos golpes de Estado al perder las elecciones de 1933, no hablemos ya de Prieto, Largo Caballero y tantos otros. También se mostró más legalista que el mismo Gil-Robles.

CAPÍTULO II

¿Hubo en España un proceso revolucionario?

Debemos descartar, por lo tanto, la imagen de un Franco siempre al acecho para destruir la República hasta ver una oportunidad favorable. Ni siquiera puede hablarse de una situación favorable, pues cuando finalmente recurrió a las armas fue en una situación sumamente azarosa, de cuyos riesgos tenía él clara conciencia, y que iba a tornarse en seguida desesperada para los suyos.

Su posición la expuso a Gil-Robles en 1937, ya en plena guerra. Gil-Robles le había escrito protestando contra un bulo difundido en el bando nacional. El bulo acusaba al político cedista de que, siendo ministro de la Guerra en 1935, había frustrado un plan de Franco para dar un golpe de Estado que habría ahorrado al país la contienda civil. El Caudillo contestaba:

> La intervención que la fábula me atribuye, de que yo le haya propuesto un plan detallado de éxito seguro para que Vd. diera un golpe de Estado, está muy lejos de mi conducta y de la realidad; ni por deber de disciplina, ni por la situación de España, difícil pero no aún en inminente peligro, ni por la corrección con que Vd. procedió en todo su tiempo de Ministro, que no me autorizaba a ello, podía yo proponerle lo que en aquellos momentos hubiese pecado de falta de justificación de la empresa y de carencia de posibilidad de realización, pues el Ejército, que puede alzarse cuando causa tan santa como la de la Patria está en inminente peligro, no puede aparecer como árbitro en las contiendas políticas ni volverse definidor de la conducta

de los partidos, ni de las atribuciones del Jefe del Estado. Cualquier acción en aquellos momentos estaba condenada al fracaso por injustificada, si el Ejército la emprendía, y este que hoy se levantó para salvar a España, aspiraba a que se salvase, a ser posible, por los cauces legales que le evitasen estas graves sacudidas, indispensables y santas, pero dolorosas.[1]

Creía, pues, haberse sublevado justificadamente ante un peligro extremo. Algo inclina a creer en su sinceridad: escribía estas cosas en un tiempo en que no precisaba simular respeto por el régimen anterior. Más bien al contrario: una radical aversión y desprecio por la República dominaban en su bando. Además, el bulo describía la situación al revés, pues había sido Gil-Robles quien, movido por la arbitrariedad de Alcalá-Zamora, había sugerido por dos veces a los militares una intervención política, y Franco quien la había impedido.

No obstante, estas consideraciones siguen sin justificar su rebelión, pues permanece el cargo de haber actuado por imprudencia o por un temor sin base. El proceso, o al menos el ambiente revolucionario, existían, pero —aseguran Malefakis y muchos otros historiadores— el poder republicano estaba en condiciones de controlarlo o reprimirlo llegado el caso: «Era mucho más probable —dice el primero— que Azaña reaccionara como un Giolitti o un Ebert que como un Kerenski.» El liberal italiano Giolitti y el socialdemócrata alemán Ebert habían afrontado con energía sendos movimientos revolucionarios, habiendo aplastado el alemán algunas revueltas comunistas de modo más cruento que las derechas españolas en 1934. ¿Es acertado el aserto de Malefakis? Para hacernos una idea algo clara al respecto debemos repasar los sucesos de la primera mitad de 1936, la «primavera trágica», como la ha llamado Ricardo de la Cierva.

Tras expulsar injustificadamente a la CEDA del poder, en diciembre de 1935, Alcalá-Zamora se vio empujado a tomar medidas sucesivas que le hacían muy vulnerable a denuncias por delinquir contra la Constitución. Para hurtarse a ellas precipitó la disolución de las Cortes y convocó nuevas elecciones el 7 de enero de 1936. El proceso electoral subsiguiente transcurrió en el clima de rencor creado por la campaña sobre las atrocidades de Asturias, convertida en tema central de la propaganda izquierdista. El cruce de invectivas entre izquierdas y derechas llegó al paroxismo, con amenazas de exterminio y de no respetar un resultado adverso en las urnas por parte de las izquierdas. Los augurios de guerra civil volvían a planear sobre España. Hubo bastantes muertos y heridos en atentados callejeros, aunque el día de las elecciones, 16 de febrero, un formidable despliegue policial impidió choques sangrientos.

Los resultados electorales nunca se publicaron oficialmente, lo cual ha originado muchas especulaciones y cálculos, con discrepancias de hasta un millón de votos. Siguen haciéndose cábalas, en parte basadas en diversos criterios sobre qué considerar derechas o centro.* Hoy se suele considerar un práctico empate entre derechas e izquierdas, en torno a cuatro millones y medio de sufragios cada una, quedando fuera de juego el centro, antes muy importante, sobre todo el de Lerroux. Sin embargo, la ley electoral benefició a las izquierdas, otorgándoles mayoría de escaños, entre otras cosas por haber acudido en bloque, frente a una mayor dispersión de las derechas. Según J. Tusell, las izquierdas habrían obtenido en la primera vuelta 262 diputados, frente a 156 la derecha y 54 un centro donde incluye a los catalanistas de derecha (Lliga) y al PNV.

El recuento de votos transcurrió de modo anómalo. Apenas conocidos los primeros resultados favorables a las izquierdas, sus partidarios ocuparon las calles y asediaron sedes de la derecha y las cárceles para soltar a los presos, creando un clima de coacción. Pronto empezaron los motines carcelarios, los tiroteos callejeros, la expulsión de autoridades municipales para sustituirlas por las implicadas en la rebelión de octubre; en algunos sitios, las urnas fueron robadas, y los gobernadores civiles, teóricos garantes de la pureza del recuento, se inhibieron o deser-

---

* El muy derechista PNV, por ejemplo, suele aparecer como centrista; este partido había boicoteado la unidad de las derechas, pese a las amonestaciones del Vaticano, favoreciendo así al Frente Popular. Los cálculos más aceptados son los de J. Tusell, que da una ligera mayoría a las izquierdas, con la corrección de R. Salas Larrazábal, para quien las derechas superaron, también levemente, a sus adversarios, o la de J. Linz y J. de Miguel, que dan una mayor ventaja a la izquierda y hacen subir notablemente al centro. Psicológica y políticamente, el grueso de los centristas estaba muy cerca de las derechas.

taron. El jefe del Gobierno, Portela Valladares, agente político de Alcalá-Zamora, fue presa del pánico y sólo pensaba en dimitir sin esperar a la segunda vuelta electoral, prevista para principios de marzo. Los testimonios de Portela, Alcalá-Zamora, Gil-Robles y otros exponen sin equívocos la grave anormalidad de aquellos comicios. Azaña escribe:

> Los gobernadores de Portela habían huido casi todos. Nadie mandaba en ninguna parte y empezaron los motines.

La noche del escrutinio Gil-Robles visitó a Portela para pedirle que asegurase el orden por medio del estado de guerra. Esto lo han interpretado algunos como un intento golpista, pero no lo es; y sí tenía mucho de golpe de Estado, en cambio, la movilización callejera izquierdista. De hecho, Alcalá-Zamora firmó tanto el estado de guerra como el de alarma, aunque sólo se utilizaría el segundo. A decir verdad, la República había transcurrido hasta entonces en estados de alarma o excepción casi permanentes, y seguiría así hasta la reanudación de la guerra en julio. Portela manifestó a Gil-Robles su impresión de que el país iba de cabeza a la guerra civil, pero él, afirmó, había intentado evitarla, correspondiendo a otros afrontar el siniestro panorama.

Franco creyó que los desórdenes reabrían el proceso revolucionario. También actuó con premura para promover el estado de guerra. Habló con el ministro de la Guerra, recordándole la responsabilidad de Kerenski, el político ruso a quien se achaca haber abierto paso a la revolución bolchevique por no reaccionar a tiempo con firmeza. El ministro estaba deprimido e irresoluto. Luego habló Franco con el general Pozas, masón y director de la Guardia Civil,* pero éste interpretó los desórdenes como «alegría republicana», suponiendo que iría calmándose por sí sola. Llegó hasta Portela, ofreciéndole la colaboración militar. Según la versión de Arrarás, el político le sugirió la acción directa de las fuerzas armadas, pero Franco habría replicado:

> Es al Gobierno a quien compete defender a la sociedad, secundado por el Ejército.

* Se haría comunista durante la guerra.

No está claro si con sus gestiones, fallidas finalmente, el general pretendía asegurar el orden para un normal traspaso de poderes, o una dictadura contrarrevolucionaria.

Para los que habíamos seguido de cerca el proceso del comunismo y conocíamos los acuerdos del Kommintern (sic) de noviembre de 1935, la cuestión se presentaba bien clara: la táctica comunista del Frente Popular había ganado su primera batalla. La revolución iba a ser desencadenada en España desde el poder.[2]

Esta apreciación es errónea en los detalles, pero justa en la idea central. La Comintern no estaba en condiciones de dictar la política española, pues el PCE, aunque en rápido auge (obtendría diecisiete diputados), seguía siendo un partido secundario. Tampoco iba a aplicarse la revolución desde el poder de forma inmediata, aunque la fracción dominante del PSOE, la de Largo Caballero, sí pensaba en ello. Por otro lado, los comunistas y los socialistas del *Lenin español* vivían una verdadera luna de miel, aunque sus estrategias diferían levemente.

Sea como fuere, ganó la coalición de izquierdas, más tarde conocida por Frente Popular, y Azaña pasó a gobernar, tras dimitir Portela sin esperar a la segunda vuelta electoral. La CEDA aceptó —o se resignó— los resultados, que daban amplia mayoría parlamentaria a sus enemigos, pero otros recusaron la validez de las votaciones. Los monárquicos, minoritarios y proclives al golpismo, vieron justificadas sus críticas a la conducta pacífica y legal de la CEDA. En cuanto a la Falange, el grupo más extremo y combativo de la derecha, no había logrado un solo escaño.

En fin, los vencedores eran los mismos que en 1934 habían lanzado el gran asalto revolucionario o colaborado con él, pese a lo cual reivindicaban en exclusiva el título de republicanos. Se comprende fácilmente, por ello y por la envenenada campaña electoral, la profunda depresión de los perdedores. Respecto a los ganadores conviene resaltar que, pese a haber acudido en bloque a las urnas, se dividían en dos grandes sectores con políticas distintas, aunque no del todo opuestas: el primer sector lo componían los republicanos de izquierda, que iban a gobernar en exclusiva, apoyados desde fuera por la fracción socialista de Prieto,* y el segundo lo integraban los socialistas de Largo, los comunistas y el POUM, cercano al trotskismo. También había recibido el Frente Popular el voto de los anarquistas. Este segundo sector debía respaldar asimismo al Gobierno de Azaña, pero en realidad actuaría de otra forma.

Se abrió en España un triple proceso político: el de la recuperación y radicalización de las derechas, el protagonizado por el Gobierno y el de las izquierdas revolucionarias. Este último, debido a su espectacularidad, ha sido el más estudiado (también ocultado en ciertos libros). Desde el primer momento, las izquierdas no gubernamentales impusieron la ley desde la calle, forzando al Gobierno a marchar a rastras de ella. Así hicieron con la amnistía o con la invasión masiva de fincas. También reorganizaron sus milicias, que vigilaban las ideas políticas de los vecindarios y desfilaban en plan intimidatorio, a menudo uniformadas y a veces armadas. De hecho se creó un doble poder y una gran violencia. Algunos han querido negar esos hechos, o achacarlos a respuestas ante provocaciones derechistas, sobre todo de la Falange. Pero los testimonios, entre ellos los bien conocidos de Madariaga («Ni la vida ni la propiedad contaban con seguridad alguna...»), no dejan lugar a dudas sobre el carácter e iniciativa de los disturbios y atentados.

Aquí bastará mencionar el testimonio de Prieto en su famoso discurso de Cuenca el 1 de mayo, claro exponente de la realidad pese a su demagogia desaforada. Prieto, que, al revés que la mayoría obrerista, defendía al Gobierno de Azaña, clamó:

> ¡Basta ya! ¡Basta, basta! ¿Sabéis por qué? Porque en esos desmanes (...) no veo signo alguno de fortaleza revolucionaria (...) Un país puede soportar la convulsión de una revolución verdadera. Lo que no puede soportar es la sangría constante del desorden público sin finalidad revolucionaria inmediata; lo que no soporta una nación es el desgaste de un poder público, de su propia vitalidad económica, manteniendo el desasosiego, la zozobra, la intranquilidad. Podrán decir

* Después de octubre, Largo y Prieto habían chocado hasta casi provocar la escisión del PSOE. Pero el sector realmente legalista del partido, dirigido por Besteiro, había permanecido en una completa marginación, repudiado por los otros dos.

espíritus simples que este desasosiego lo padecen sólo las clases dominantes. Ello, a mi juicio, constituye un error. De ese desasosiego no tarda en sufrir los efectos perniciosos la clase trabajadora en virtud de trastornos y posibles colapsos de la economía.

Prieto, pues, reconocía la violencia y el desmán generalizados, de procedencia izquierdista en la gran mayoría de los casos, y advertía la posibilidad de un colapso económico con los consiguientes perjuicios para las «clases trabajadoras». Para hacerle justicia debe señalarse que él mismo contribuía como quien más a la situación que denunciaba. Él había sido uno de los más ardorosos propaladores de las «atrocidades» derechistas en Asturias, y en la misma Cuenca, donde se hallaba en gira electoral al haberse anulado allí las elecciones de febrero, estaba imponiendo un régimen de terror por medio de su grupo de guardaespaldas conocido como «La Motorizada», que intimidaba y arrestaba ilegalmente a los electores de derechas, para impedirles votar. El gobernador civil, a su vez, aprovechaba cualquier agresión a las derechas para detener a numerosos... derechistas. Pese a estos hechos bien conocidos, muchos comentaristas siguen loando a Prieto como hombre moderado y de gran visión política.*

A esas elecciones quiso presentarse Franco, a quien Prieto retrató, con respeto y algún temor, como posible caudillo de una rebelión

> por su juventud, por sus dotes (...) y prestigio personal (...) Llega a la fórmula suprema del valor, es hombre sereno en la lucha.

Las izquierdas triunfantes en febrero habían alejado al militar a las islas Canarias en calidad de comandante general, a pesar de hacerle responsable, en su propaganda, de los supuestos crímenes represivos de Asturias. En realidad ni se presentaron los miles de reclamaciones por daños, torturas y muertes que cabría esperar de ser ciertas las acusaciones, ni las izquierdas, una vez logrado el objetivo de la campaña, mostraron el menor interés por investigar los hechos, a pesar de las pe-

---

* Sobre esos meses acaba de aparecer el importante libro de Stanley Payne *El colapso de la República*. Véase también, entre los más recientes, el mío: *1936. El asalto final a la República*.

ticiones de Gil-Robles en el Congreso. Evidentemente, Azaña quería neutralizar al general, y éste se sentía confinado en las islas, donde debía soportar la hostil vigilancia de las autoridades y los sindicatos. Fue a las elecciones por Cuenca precisamente para poder regresar a la península como diputado, pero desacuerdos con el otro candidato, José Antonio, el fundador de la Falange, le hicieron retirar su nombre. Luego, los brutales métodos prietistas dieron el triunfo de la candidatura de izquierda.

Volviendo al discurso de Prieto, sus palabras sentaron muy mal al sector socialista del *Lenin español*, cuyo periódico *Claridad* advertía:

> Creer que la lucha de clases debe cesar para que la democracia y la República existan (...) es no darse cuenta de las fuerzas que mueven la Historia.[3]

El sector *bolchevique* o *leninista* del PSOE había aclarado desde el principio que su colaboración con los republicanos de izquierda cesaba en el mismo momento de la victoria electoral. Muchos estudiosos han encontrado suicida o estúpido este sabotaje a un gobierno «progresista» y dispuesto, en general, a las medidas más «avanzadas» y a doblegarse ante el poder de la calle; pero la conducta de Largo respondía a una expectativa muy lógica. Él y los suyos consideraban el fracaso de octubre como un revés pasajero dentro de una estrategia correcta en lo esencial, que pronto debía desembocar en la dictadura del *proletariado*. Y a ese fin el éxito electoral del Frente Popular le abría espléndidas posibilidades, sin necesidad de arriesgar una segunda insurrección: como miembro de la coalición vencedora, el PSOE de Largo sólo tenía que agitar a las masas para llevar al Gobierno a una crisis y heredarlo «legalmente». Tal perspectiva aterraba a la derecha, que de paso podía verse empujada, por desesperación, a rebelarse sin apenas posibilidad de éxito. El 16 de julio *Claridad* expondría la táctica ante una sublevación derechista: los soldados serían licenciados, a fin de dejar a los rebeldes sin tropas, y la combinación de las milicias con las unidades militares izquierdistas garantizaría la liquidación radical de las derechas. Y de paso el Gobierno quedaría arrollado. Y algo muy parecido ocurriría, en efecto.

Los comunistas diferían algo en su estrategia. Su objetivo inmediato, sobradamente explícito en sus documentos, intervenciones parlamentarias, etc., consistía en ejercer sobre el Gobierno una mezcla de apoyo y chantaje para obligarle a desarticular a todas las derechas, empezando por la CEDA, y apresar a sus líderes. Ello habría liquidado los restos de democracia, avanzando un largo trecho hacia la revolución. Como en el caso de Prieto, no faltan quienes califican esa política de «moderada», quizá porque entienden así la moderación.

Los anarquistas, a su turno, veían muy próxima su gran oportunidad. En mayo organizaron un magno congreso en Zaragoza donde trazaron con bastante detalle las normas para la sociedad futura, anarquista pero muy reglamentada, que vislumbraban a la vuelta de la esquina. A fin de reforzar su influjo en toda España trasladaron sus sedes principales de Barcelona y Zaragoza a Madrid y emprendieron una escalada de huelgas salvajes acompañadas de pistolerismo, en rivalidad, a veces cruenta, con la UGT de Largo Caballero.

Si el impulso revolucionario de las izquierdas obreristas ha sido bastante bien estudiado, mucho menos lo está la política sostenida en esos meses por el Gobierno de Azaña y luego de Casares Quiroga, una política presentada a menudo —implícitamente por el propio Malefakis— como democrática o moderada. Ya vimos cómo los republicanos de izquierda habían replicado a la victoria electoral de la derecha, en 1933, urdiendo golpes de Estado, y cómo habían respaldado el golpe revolucionario de octubre de 1934. Tales actitudes, debe entenderse bien, no fueron casuales o excepcionales. Respondían a la idea, ya mencionada, de que ellos, por declararse republicanos, tenían derecho privilegiado («títulos») a gobernar. Respondían también a la lógica de una concepción expuesta sin tapujos, ya en 1930, por Azaña, el principal y más inteligente jefe de filas republicano: aspiraban a realizar «un vasto programa de demoliciones» contra las tradiciones españolas (comparadas con la sífilis hereditaria), muy especialmente contra la influencia católica. Y lo harían utilizando como fuerza de choque a «los gruesos batallones populares», es decir, a las masas sindicales obreristas. Este designio, al que se atuvieron hasta el final, implicaba una hostilidad radical hacia la derecha, expresada por Azaña en pleno auge revolucionario, en 1936:

A mí todo lo que es de derecha me repugna.[4]

E implicaba una actitud complaciente y al final claudicante hacia los revolucionarios, manifiesta de modo constante.

De acuerdo con su pretensión sobre los «títulos» para gobernar, el programa del Frente Popular había apartado las reivindicaciones más obreristas, pero incluía la revancha por los sucesos de octubre (amnistía y reparaciones para los insurrectos, persecución para los defensores de la ley). Y, sobre todo, propugnaba la llamada, con plena demagogia, «republicanización» del Estado, consistente en anular de facto la Constitución para impedir una vuelta de la derecha al poder. Azaña, tras unas primeras declaraciones conciliatorias, lo anunció el 1 de marzo: la aplicación del programa del Frente Popular debía asegurar que

> la República no salga nunca más de nuestras manos, que son las manos del pueblo. Tenemos la República y nadie nos la arrebatará.

Frases radicalmente incompatibles con una democracia liberal.

Aun así, la derecha se puso casi en su mayoría detrás del Gobierno, con la esperanza de que terminase por reaccionar ante el agresivo empuje revolucionario. Azaña se jactaba en sus cartas de haberse convertido en un «ídolo» para sus enemigos de hacía poco. Obviamente, los asustados derechistas le pedían simplemente que cumpliera e hiciera cumplir la Constitución, su deber más elemental si quería legitimar su gobierno. A fin de evitarle obstáculos de primera hora, le ayudaron incluso a legalizar una amnistía y otras medidas impuestas desde la calle por los revolucionarios.

Sin embargo, Azaña despreció las apelaciones derechistas, y la «republicanización» siguió su curso subversor de la legalidad. El primer paso consistió en una arbitraria «revisión de actas» de los diputados. A finales de marzo, la mayoría parlamentaria, erigiéndose ilegítimamente en juez y parte, procedió a despojar a la derecha de numerosos escaños, pretextando no haber sido ganados de forma «limpia». El abuso permitió a la mayoría izquierdista hacerse aplastante en las Cortes, asegurando en lo sucesivo la adopción de cualquier ley o medida conveniente a sus fines, con aparente legalidad. Para no autorizar tal atropello, la derecha abandonó el Parlamento, entre furiosas amenazas y acusaciones de golpismo lanzadas por las prepotentes izquierdas. Volvería, humillada, unos días después. El PNV, al cual habían apoyado las derechas españolistas en la segunda vuelta electoral, volvió a colaborar con las izquierdas en la revisión de actas.

El segundo paso, el mes siguiente, consistió en la destitución del presidente Alcalá-Zamora. Medida paradójica, pues si a alguien debían las izquierdas el poder era a él, que había expulsado a la CEDA del Gobierno y disuelto las Cortes. El episodio se ha explicado mil veces y no insistiré aquí en sus entresijos. Baste indicar que, para destituirlo, los diputados debían decidir, por mayoría, que la anterior disolución de las Cortes había sido innecesaria, esto es, arbitraria. El presidente sabía que la derecha, de haber ganado las elecciones, lo habría expulsado rápidamente por ese método, y por eso él había procurado favorecer a la izquierda. Pues sería impensable que ésta, si vencía en las urnas, declarase innecesaria una disolución gracias a la cual gobernaba: ¡estaría declarando arbitrario, al mismo tiempo, a su propio gobierno!

Y sin embargo lo impensable sucedió, en una maniobra muy reveladora de la descomposición política del momento. Azaña y Prieto tejieron la intriga, como habían hecho siete meses antes para hundir a Lerroux. Pues, a pesar de su enorme deuda política con Alcalá-Zamora, lo miraban como un obstáculo a su aspiración de lograr un absoluto predominio, y temían que llegara a jugarles la misma pasada que había jugado a la CEDA, negándoles la confianza y convocando nuevas elecciones. Azaña, además, aspiraba desde hacía tiempo a ocupar la presidencia de la República.

La treta tuvo pleno éxito, gracias a la abrumadora mayoría parlamentaria fabricada previamente: la izquierda declaró sin fundamento la anterior disolución de las Cortes, a la cual debía ella su poder, y expulsó de la presidencia a Alcalá-Zamora. Nuevamente el PNV votó la ilegítima medida, pensando seguramente en fomentar la descomposición del Estado, y la derecha se abstuvo, en protesta por el procedimiento. Alcalá-Zamora consideró la medida un golpe de Estado, y la impresión generalizada de ilegalidad y despotismo la expresa en sus memorias Martínez Barrio, presidente de las Cortes y sustituto en funciones del defenestrado presidente:

> Nos habíamos lanzado por uno de esos despeñaderos históricos que carecen de toda posibilidad de vuelta.

A Azaña, por el contrario, la maniobra le produjo gran «placer estético».[5]

Poco después, a mediados de abril, la derecha lograba por fin tratar en las Cortes el orden público. Tras ofrecer datos sobre la serie interminable de asesinatos, asaltos e incendios de templos, registros de la propiedad, sedes políticas y domicilios particulares de la derecha, huelgas salvajes y otras violencias, los líderes derechistas pidieron al Gobierno que aplicase la ley. Azaña, por supuesto, conocía los hechos, y tiene anotaciones muy reveladoras: al mes de hacerse cargo del Gobierno ya contaba no menos de doscientos muertos y heridos e infinidad de disturbios. Sin embargo, dejó muy clara su negativa a imponer la ley, utilizando pretextos vacuos, mientras los portavoces derechistas, Calvo Sotelo y Gil-Robles, recibían en pleno Congreso una lluvia de burlas, insultos y amenazas, incluidas algunas poco disimuladas de muerte. Ello deslegitimaba al Gobierno de modo aún más explícito que sus maniobras anteriores.

Para entonces, la derecha se iba rehaciendo de su pánico inicial y organizaba las primeras protestas masivas en la calle. Además, la Falange y otros pequeños grupos practicaban la violencia. Tras las elecciones, la Falange había resuelto mantenerse en posición discreta, desolidarizándose de las derechas, y su líder, José Antonio, había expresado sus esperanzas en Azaña. Pero el Gobierno procedió inmediatamente a cerrar sedes del partido y su órgano de expresión, *Arriba*, y las milicias socialistas y comunistas empezaron a asesinar a falangistas en las calles. Al poco tiempo, éstos replicaron de igual modo, aunque con menor fuerza. El Gobierno encarceló a José Antonio y a casi toda la dirección de la Falange, y persiguió sin tregua a sus militantes, sin preocuparse siquiera de investigar los crímenes de sus contrarios. En las semanas y los meses siguientes, la policía efectuaba razias indiscriminadas de falangistas y otros derechistas lo mismo cuando éstos atacaban que cuando sufrían ataques, como documenta, entre otros, S. Payne en *El colapso de la República*. No sólo la ley se imponía desde la calle, sino que el Gobierno cooperaba activamente en la descomposición del régimen. A nadie se ocultaba, pues se exhibía de forma ostentosa, la rápida constitución de milicias y su instrucción militar a cargo de oficiales izquierdistas del ejército y la policía.

Tales sucesos llenaban de indignación a las derechas. Pero, como reconocía Prieto en su citado discurso del 1 de mayo, no existía un movimiento fascista, aunque el desmán continuo podía llegar a crearlo:

> El fascismo, aparte de los núcleos alocados que puedan ser sus agentes ejecutores (...) no es nada por sí si no se le suman otras zonas más vastas del país, entre las que pueden figurar las propias clases medias, la pequeña burguesía que, viéndose atemorizada a diario y sin descubrir en el horizonte una solución salvadora, puede sumarse al fascismo.

Pese a la rabia creciente, en la derecha predominaba el temor y la sensación de impotencia. Gil-Robles había pronunciado en las Cortes sus famosas palabras «Media nación no se resigna a morir», pero la reacción no estaba clara o se producía de forma espasmódica, como la de la Falange. Algunos derechistas, para azuzar a la gente, hicieron circular unos supuestos planes comunistas para desatar la revolución en breve plazo. Pronto se hizo claro que se trataba de una falsificación, pero algunos, quizás el propio Franco, llegaron a creerlos. Ello no significa que no hubiera estrategias revolucionarias, como hemos visto, si bien las mismas seguían orientaciones menos burdas.

El peligro real para el Frente Popular procedía de un sector del ejército. En él, la conspiración militar empezó a cobrar alguna seriedad a finales de abril, cuando el general Mola se puso a su cabeza (aunque el jefe nominal volvía a ser Sanjurjo, entonces exiliado en Portugal). Franco participaba en los preparativos, pero estaba semiaislado en Canarias y desconfiaba de ellos:

> Las noticias que del general Mola recibía (...) no coincidían con las noticias directas que de Madrid, Barcelona, Zaragoza y Valencia recibía de personas de toda confianza, y que acusaban una situación muy distinta del optimismo que reflejaban las primeras.[6]

De hecho, la mayoría de las derechas permanecía aferrada a la legalidad, y aún esperaba una reacción del Gobierno frente a una violencia revolucionaria que, al fin y al cabo, lo desacreditaba cada día. Pero la esperanza no acababa de cumplirse. El 19 de mayo, tras la asunción de la presidencia por Azaña, el nuevo jefe de Gobierno, Casares Quiroga, exponía al Congreso su decisión de seguir en la misma línea. Eludió la exigencia de establecer un orden imparcial, declarándose «beligerante» sólo contra lo que llamó «fascismo». Animó al Frente Popular a llevar a cabo «un ataque a fondo»:

> Allí donde el enemigo se presente (...) iremos a aplastarlo.[7]

Y proseguía la *republicanización*: diversos cuerpos de la administración, como el diplomático o la magistratura, sufrían depuraciones, y a principios de junio se aprobaba por ley un tribunal político especial para vigilar la actitud de los jueces, liquidando así su independencia. El tribunal incluía una mayoría de presidentes de asociaciones de izquierda y ultraizquierda, y, señala Gil-Robles,

> consumaba la monstruosa paradoja de que para enjuiciar a un magistrado o juez bastaba saber leer y escribir, mientras que todos los demás ciudadanos habían de ser juzgados por quienes demostrasen antes una capacidad suficiente.

La elección del Tribunal Supremo recayó en una asamblea de 75 personas con total supremacía del Gobierno, el cual se atribuyó asimismo el nombramiento de magistrados municipales.[8]

De este modo se completaba la subversión de la Constitución de 1931, tendiendo a crearse un nuevo régimen pseudodemocrático, similar al PRI de México, tan corrupto como admirado por las izquierdas republicanas. Esta evolución apenas ha recibido el análisis debido, por haber quedado en segundo plano ante el mucho más evidente empuje revolucionario en calles y campos, pero en realidad los dos se conjugaban. Desde luego, los republicanos tenían razones para temer a sus aliados obreristas, pero no hay constancia de que estuvieran dispuestos a pararles los pies en ningún momento, si exceptuamos algunos rumores tardíos de «dictadura republicana», sin mayores consecuencias.

A mediados de junio cayó por tierra la que probablemente fue la última oportunidad de evitar la guerra civil, en la sesión de Cortes más dramática de su agitada historia. Las derechas volvieron a instar al Gobierno a afrontar su responsabilidad ante los desórdenes públicos. Los muertos, en sólo cuatro meses, llegaban a 270, y a casi 1.300 los heridos o mutilados, aparte de incontables disturbios, tropelías y abusos de todo género contra la derecha y la Iglesia, huelgas generales en cadena, etc. Calvo Sotelo apeló al ejército si la situación seguía igual. Casares replicó pintando un cuadro casi bucólico del país, y responsabilizó a Calvo de lo que pudiera ocurrir. La agitadora comunista *Pasionaria* reconoció «las tempestades de hoy», pero culpó de ellas a la represión de octubre... que ella misma se negaba a investigar. Ventosa, catalanista de derechas, denunció la «republicanización de la justicia» orientada a

> destruir la independencia judicial, sin la cual no podría existir ni la vida en un estado democrático ni aun las propias libertades individuales.

Calvo replicó a Casares con frases de gran repercusión histórica, recordándole los casos de Kerenski y del húngaro Karoli, que habían allanado la vía al comunismo, y se dio por amenazado de muerte:

> Es preferible morir con honra a vivir con vilipendio.

No hubo el menor acuerdo, y el Gobierno persistió en su política.

Finalmente, los acontecimientos se precipitaron el 12 de julio cuando, so pretexto del asesinato por las derechas de un oficial de policía instructor de milicias izquierdistas, el portavoz derechista Calvo Sotelo fue secuestrado y asesinado por un grupo de guardias de asalto y milicianos socialistas capitaneados por un guardia civil también instructor de milicias. Tanto el autor directo del asesinato como el jefe de la expedición pertenecían al círculo de hombres de mano del socialista Prieto. Otra expedición semejante no lograba hacer lo mismo con Gil-Robles, al no hallarlo en casa. La descomposición del Estado había llegado a su extremo: la policía operaba como una organización terrorista más, en conjunción con las milicias revolucionarias.

Aquel crimen sin precedentes dio el golpe de gracia a los restos de la República del 31. En una dramática reunión de la diputación permanente de las Cortes, Gil-Robles advirtió:

Ahora estáis muy tranquilos porque veis que cae el adversario. Ya llegará el día en que la misma violencia que habéis desatado se volverá contra vosotros.

Los comunistas exigieron, una vez más, la desarticulación definitiva de las derechas y el encarcelamiento de sus líderes. Prieto rechazó cualquier responsabilidad, y poco después se unió a las exigencias comunistas. Las espadas quedaron en alto. Aún peor reaccionó el Gobierno: en lugar de perseguir a los asesinos, los mantuvo en libertad y procedió a encarcelar a cientos de derechistas y a cerrar sus sedes en Madrid y otras ciudades. Su policía disparó contra manifestantes que habían ido al entierro de Calvo, causando algunos muertos y numerosos heridos. Otros izquierdistas, desde un coche, tiroteaban y mataban a más derechistas. Casares estaba convencido de derrotar a la sublevación militar tan pronto comenzara, pues la tenía bastante controlada. Los socialistas de Largo pidieron la dictadura y la «guerra civil a fondo», y Prieto escribió sus tan repetidas frases:

Será una batalla a muerte, porque cada uno de los dos bandos sabe que el adversario, si triunfa, no le dará cuartel.[9]

Las izquierdas estaban optimistas, seguras de ganar, pero iban a tener más guerra a fondo de lo que suponían.

Hasta el asesinato de Calvo, la mayor parte de las derechas, muy dudosa de la posibilidad de triunfar por la fuerza, había mantenido un legalismo casi desesperado, pero aquel crimen rompió casi todas sus inhibiciones. También las de Franco. Él se había involucrado en la conspiración ya en marzo, exigiendo que el alzamiento no tuviera color político definido e invocase simplemente la salvación de España. Además, debía desencadenarse sólo si las circunstancias lo hacían «absolutamente necesario». Hasta el final había impuesto retrasos a sus conmilitones, y tan tarde como el 23 de junio había escrito a Casares instándole a rectificar su política y evitar males mayores. El mismo 12 de julio enviaba a Mola, para desesperación de éste, un mensaje aconsejando nuevas dilaciones. Pero poco después conoció el asesinato de Calvo Sotelo y desaparecieron sus titubeos. Según su pariente Franco Salgado, dijo que «perdía por completo la esperanza de que el Gobierno cambiase de conducta». Como él pensaron muchos más militares y políticos de derecha, y el 17 de julio comenzaba el alzamiento en Melilla. Poco después, Franco declaraba la ley marcial en las Canarias y volaba a Marruecos para dirigir el ejército de África.

¿Qué indican todos estos hechos? Ante todo, nadie puede negar en serio la existencia de un proceso revolucionario cada vez más inminente. Proceso doble: insurreccional pero contenible, de momento, por parte de los anarquistas; y muchísimo más peligroso, de toma legal del poder, por los socialistas y, más indirectamente, por los comunistas.

En segundo lugar, no se descubre en Azaña o Casares el menor rastro de una actitud enérgica a lo Ebert o a lo Giolitti. Sus gobiernos no reprimieron, sino que ampararon el impulso revolucionario, y contribuyeron a él con gravísimas y constantes arbitrariedades, atentando contra la ley y el más elemental espíritu de convivencia ciudadana. Cosa sólo sorprendente para quien olvide sus aspiraciones antidemocráticas y su dependencia política y social de sus turbulentos aliados. Cambiar esa dinámica les habría exigido aliarse con la derecha, y a eso no estaban dispuestos ni se lo hubieran permitido sus socios obreristas. Los débiles partidos y políticos republicanos habían unido sus destinos, desde 1930, al de los revolucionarios, creyendo que ocurría al revés; habían refrendado esa unión en 1934, y así seguirían hasta el final. Pues lo que acabó de desatar la revolución no fue el alzamiento derechista, como pretenden varios estudiosos, sino, precisamente, la decisión de Giral y Azaña de repartir las armas a las masas.

En tercer lugar discernimos en el grueso de la derecha un ánimo amedrentado y contemporizador hasta casi las últimas semanas. Las violencias de la Falange y otros tuvieron una importancia secundaria, magnificada intencionadamente por las izquierdas como excusa para desencadenar ellas violencias mucho mayores.

No, ni Malefakis ni Cambó entendieron bien el mecanismo infernal desatado en febrero del 36 por los mismos que en octubre de 1934 habían asaltado la República y no habían modificado luego sus planteamientos. Existe, así, una diferencia crucial entre la rebelión izquierdista del 34 y la derechista del 36. La primera había atacado a un Gobierno legítimo, salido de las urnas y básicamente cumplidor de la ley. La derechista del 36 se dirigió contra un Gobierno de legitimidad en principio admisible, si bien dudosa por la anormalidad de las elecciones, pero perdida en cualquier caso por su actuación posterior. De hecho, el Frente Popular había transformado la República del 31 en un cúmulo de caos y despotismo. Algunos persisten en negar esta consecuencia. Deben reconocer, entonces, que consideran normal y democrática una situación como la creada en aquellos meses por el Gobierno y los revolucionarios. Pero quienes así piensan no lograrían convencernos de su espíritu democrático.

Franco, fueran cuales fueren sus motivaciones, se enfrentó sin duda a un doble movimiento revolucionario y subversivo muy avanzado, que llevaba al país a una profunda descomposición institucional y en todos los órdenes. No provocó él ese movimiento ni lo deseó, procuró evitar la rebelión abierta hasta el mismo final, y, como veremos, los hechos estuvieron a punto de justificar sus temores de que la rebelión naufragase desastrosamente. En otras ocasiones he señalado esta evidencia: fue el último en rebelarse contra la República. Antes lo habían hecho los anarquistas, Sanjurjo, los socialistas, los nacionalistas catalanes, los comunistas y Azaña y sus republicanos al perder las elecciones del 33. La única diferencia decisiva con todos ellos fue que Franco terminó por vencer.

CAPÍTULO III

¿Peligro revolucionario
o promesa revolucionaria?

Franco se consideró siempre un luchador de primera fila contra el comunismo. En éste veía una nueva barbarie, la peor amenaza a los valores e instituciones esenciales, según él, para la vida civilizada y la subsistencia de España: la religión y la familia cristianas, la patria y el Estado español, y la propiedad privada. Admitía cualquier régimen que respetase estos pilares de la sociedad, si bien prefería la monarquía a la república, por enlazar mejor, a su entender, con las tradiciones hispanas. No obstante, la experiencia republicana le llevaría a descartar también la democracia liberal.

Abordar esta cuestión exige observar los planteamientos contrarios, bien resumidos en el lema revolucionario: «Nuestros sueños son vuestras pesadillas.» Es decir, si la destrucción de aquellas instituciones provocaba pesadillas entre los *burgueses* o *reaccionarios*, constituía precisamente el objetivo anhelado por sus enemigos, su sueño dorado, pues la liquidación de ellas, lejos de traer la desintegración social, supondría la mayor liberación humana que hubieran contemplado los siglos.

Según las convenciones revolucionarias corrientes, la propiedad privada, sobre todo la de los medios de producción, constituía el venero de las injusticias y opresiones humanas, el hecho social que dividía a los hombres entre explotadores y explotados y los *alienaba*, privándolos de su auténtica humanidad. Tal situación se mantenía, y sólo podía mantenerse, gracias al Estado, concebido como un aparato de violencia institucionalizada al servicio de las «clases dominantes». Las leyes no buscarían una justicia abstracta ni un equilibrio social, sino garantizar el dominio de los explotadores. El Estado, opresor por naturaleza, se complementaba con la religión, «opio del pueblo», conjunto de promesas para un más allá que consolara ilusoriamente a las víctimas en el más acá, y de amenazas infernales que las disuadieran de rebelarse. Finalmente, la familia, construida sobre la opresión de la mujer, no tenía otra función esencial que transmitir tales ideologías al servicio de la explotación del hombre por el hombre.

En líneas generales, los revolucionarios comulgaban con estas interpretaciones de la vida social, aquí esquematizadas. Surgían discrepancias, sin embargo, a la hora de enfocar la historia, las perspectivas y los métodos para acabar con tan lamentable estado de cosas. Según los marxistas, por ejemplo, la actual sociedad capitalista culminaba un larguísimo ciclo histórico de sistemas de división social en clases sociales, explotadas unas por otras (así las sociedades esclavista, feudal y otras variantes). Sistemas inevitables, pese a sus estragos, a causa del insuficiente desarrollo técnico y la escasa capacidad productiva consiguiente. De modo que los esclavos o los siervos en rebeldía contra su brutal destino, aunque triunfasen, no podrían hacer otra cosa que reproducir las mismas condiciones sociales, haciendo víctimas de ellas a otros. No obstante, el capitalismo había logrado, por primera vez en la historia, tal desarrollo de las «fuerzas productivas» que ponía al alcance de la sociedad una abundancia generalizada. De este modo sería posible pasar al socialismo, regido por el lema «A cada uno según su trabajo», y luego a un comunismo integral que daría «A cada uno según sus necesidades». La rebelión de los explotados ya no tenía por qué reproducir, entonces, las condiciones de explotación. Y esa rebelión era posible y necesaria porque el sistema capitalista creaba las condiciones de la abundancia, pero se convertía al mismo tiempo en un obstáculo para desplegar la riqueza plenamente. La apropiación privada de los medios productivos creaba enormes desigualdades, crisis y disfunciones económicas. La masa de los explotados, el proletariado, debía aniquilar revolucionariamente el sistema y alumbrar una nueva sociedad sin explotadores ni explotados.

El marxismo prestaba especial atención a la organización de la «clase obrera» para derrocar al poder capitalista, se presentara éste como democracia *burguesa* o como fascismo, y suponía que en el proceso de lucha económica, política y armada contra la *burguesía* irían derrumbándose los aparatos ideológicos, la religión y la familia. Pero, consciente de la resistencia de las viejas costumbres e ideas, no propugnaba destruir inmediatamente el Estado, una vez caído el poder *burgués*, sino transformarlo al servicio del *proletariado* para desarraigar, en un plazo no muy largo, todos los factores económicos, sociales o culturales susceptibles de permitir el rebrote del capitalismo. Esta etapa, llamada *dictadura del proletariado*, correspondería al socialismo, paso previo al comunismo pleno, donde las clases sociales desaparecerían, y con ellas el Estado y todos los demás rasgos de la sociedad actual. Así, un marxista no entendía, como Franco y tantos más, que sus ideas y acciones fueran «bárbaras» o pretendiesen destruir la civilización. Por el contrario, para el marxista podían denominarse bárbaras, retrógradas o reaccionarias ideas como las de Franco, pues obstaculizaban el anunciado e inmenso progreso de la civilización.

Los anarquistas, partiendo de bases similares, diferían en algunos puntos clave. Daban mucha mayor importancia a la moral, al Estado, a la religión y a la familia como factores de opresión, sin considerarlos mero reflejo de la economía. El Estado, en particular, debía ser abolido de una vez por todas, pues mantenerlo, aun bajo el marbete de *proletario*, sólo serviría para perpetuar la opresión y la explotación bajo nuevas formas. Tampoco otorgaba un papel privilegiado a la *clase obrera*: la liberación debía ser asunto de todo el pueblo, al cual los anarquistas debían aportar la conciencia de sus males y de las causas de ellos. Una vez esa conciencia hubiera cundido lo bastante, seguiría de modo necesario la explosión liberadora, en el curso de la cual se hundirían de una vez para siempre las divisiones sociales, el Estado, la familia y la religión: «Ni Dios ni amo.»

Bakunin, principal fundador del movimiento anarquista, criticó con notable agudeza algunas ideas de Marx, acusándole de propugnar, de hecho, una tiranía absoluta. Menos crítico se mostró con sus propias doctrinas, pues, ante la renuencia de las gentes a aceptarlas, trató de montar sociedades secretas, y dentro de ellas otras ultrasecretas, que manipulasen a la opinión pública para empujarla, al margen de su voluntad, a la completa liberación de los males de la sociedad tradicional. Pronto vio el terrorismo, incluso el simple bandidaje, como un excelente instrumento de «propaganda por la acción». Los comunistas tampoco desdeñaron el terrorismo, pero dieron más relieve a los movimientos de masas y a la preparación de insurrecciones.

A veces se opone el comunismo al anarquismo, pero las dos doctrinas aspiraban al comunismo, y para diferenciarse, los ácratas solían definirse como «comunistas libertarios», opuestos a sus «autoritarios» competidores. Autoritarios se decían los marxistas sólo por el período de transición de *dictadura proletaria*, pero los ácratas opinaban que esa dictadura se eternizaría por su propia dinámica y obligaría a una segunda revolución contra los déspotas supuestamente proletarios. También desdeñaban ambas doctrinas a las naciones, tipificadas como engendros de las burguesías o clases explotadoras. Los obreros o los explotados no tienen patria, aseguraban, y ellas se proclamaban internacionalistas. Sus movimientos tomaron el nombre, precisamente, de Internacionales. En el último tercio del siglo XIX, el choque entre marxistas y anarquistas, orientados éstos por Bakunin, abocó a la escisión del movimiento comunista internacional.

En Europa, la pugna entre comunistas y anarquistas se saldó casi siempre a favor de los primeros, debido a sus métodos más racionales y a su envoltura «científica», pero en España el influjo de ambos se extendió casi mitad por mitad. El anarquismo predominó en Cataluña y Andalucía, mientras el marxismo lo hizo en Madrid, Asturias y Vascongadas principalmente.

A su vez, la Internacional socialista (marxista) o II Internacional, volvería a fraccionarse, ya en el siglo XX. En Alemania, principal bastión del movimiento hasta la Revolución rusa, creció desde principios del siglo XX una tendencia no tanto a destruir el capitalismo como a adaptarse a él, creando en su seno poderosos aparatos burocráticos y grupos de intereses. Los revolucionarios más puros criticaron ese reformismo o *revisionismo*, pero parecían destinados a fracasar. Fue el triunfo de Lenin y su revolución *bolchevique* en Rusia, en circunstancias turbias y merced al desplome social causado por la guerra, lo que cambió la situación. Lenin, prestigiado por su victoria, promovió una regeneración revolucionaria por medio de una III Internacional, llamada también Internacional Comunista o, abreviadamente, Comintern, férreamente centralizada en Moscú. Siguió entonces una pugna en muchos países del mundo entre el movimiento socialista o socialdemócrata, cada vez más adaptado a la sociedad *burguesa*, y los partidos comunistas, resueltos a destruir esas sociedades.

También en esta ocasión tuvo peculiaridades la evolución marxista española. El PSOE estuvo cerca de adherirse a la Comintern, pero finalmente rehusó hacerlo, y el partido comunista tendría una existencia precaria. Sin embargo, tampoco cuajaron entre los socialistas españoles tendencias reformistas como las alemanas, sino que el partido mantuvo un marxismo algo elemental, pero sin abandonar los tradicionales elementos revolucionarios. Así, no mostró la menor adaptación al sistema liberal de principios del siglo XX —llamado Restauración porque había restaurado a los Borbones después de una caótica Primera República—, y contribuyó con todas sus fuerzas a destruir aquel régimen. Llegó a organizar, en combinación con anarquistas, republicanos y nacionalistas catalanes, los disturbios que culminaron en la sangrienta huelga revolucionaria de 1917. Hostigado sin tregua, el régimen liberal cayó, pero no para dar entrada a un sistema revolucionario, sino a una dictadura militar de derechas... ¡con la cual pasaron a colaborar los socialistas! Éstos no volverían a adoptar una postura radical hasta la República, especialmente a partir de 1933. En cuanto al Partido Comunista de España, siguió arrastrando una vida lánguida hasta la insurrección del 34. A partir de ese momento se convirtió en un grupo de creciente influencia política, en estrecha alianza con el PSOE del *Lenin español*.

Sin duda, los esquemas ideológicos e históricos revolucionarios ejercían una poderosa atracción, y no sólo sobre muchos trabajadores manuales, sino, incluso más, sobre personas instruidas de clases medias, estudiantes, maestros, intelectuales, pequeños propietarios, etc. Los obreros, en su mayoría, no entendían mucho aquellas teorías y se movían por reivindicaciones inmediatas. Con todo, la prédica incesante de la Gran Promesa revolucionaria llegó a calar, casi como una mística, entre muchos de ellos y entre campesinos y otros sectores sociales. Vale la pena observar, no obstante, que ni el marxismo ni el anarquismo español produjeron un pensamiento digno de mención, y no aportaron nada a sus propias doctrinas, al revés de lo ocurrido en Alemania, Francia, Italia o Rusia. Aquí operaron más bien como ideologías de agitación, de consigna y octavilla, sin muchos refinamientos.

Pero no por esa carencia resultaron menos efectivas, aunque su expansión seguramente se ha exagerado mucho. Suele atribuirse a los grandes sindicatos socialista y anarquista (UGT y CNT) cifras de en torno a un millón y medio de afiliados, pero probablemente no pasaron de la mitad la mayor parte del tiempo. Y, desde luego, una amplia masa de trabajadores permaneció al margen de esos movimientos, o se integró en otros de tipo cristiano o puramente profesional. La incidencia política radical derivó de su continua agitación y violencia, combinadas con la acción parlamentaria. Franco creyó hasta el final, probablemente con razón, que un gobierno seriamente dispuesto a imponer el orden neutralizaría sin dificultad aquellas agitaciones. No fue la fuerza de aquellos movimientos —aun con ser mucha, indudablemente— la causa principal de la caída de la República, sino, como hemos observado, la actitud colaboradora o claudicante con ella por parte de los gobiernos republicanos de izquierda.

Por otra parte, el que podríamos llamar aparato ideológico contrarrevolucionario o no revolucionario carecía de suficiente poder de convicción o arrastre para muchas personas. Para Franco, y para tantos otros conservadores, los valores de la familia, la patria, la religión o la propiedad simplemente no admitían discusión; tampoco parecían haber conocido a fondo las doctrinas contrarias, y su argumento principal contra ellas consistía más bien en el ejemplo práctico de la experiencia soviética. Por entonces se conocían bastante bien los efectos del leninismo y el estalinismo, es decir, una tiranía en extremo sanguinaria que había ocasionado una devastadora guerra civil y acarreado el hambre y la miseria más extremas para decenas de millones de personas. Estos hechos mostraban irrebatiblemente, en opinión de los conservadores, la realidad oculta bajo las grandiosas promesas revolucionarias de emancipación de la humanidad.

Sin embargo, las denuncias de lo ocurrido en Rusia no bastaban para diluir el poder sugestivo de aquellas doctrinas. Unos negaban la realidad de los sucesos de Rusia, calificando de «propaganda burguesa» las informaciones al respecto; otros los admitían vagamente, pero justificándolos por la resistencia y el sabotaje de las clases reaccionarias contra el progreso bolchevique. Eran esas clases las culpables de las violencias y calamidades, por resistirse a perder sus privilegios. Contra estos razonamientos en círculo resultaba muy difícil la discusión. En definitiva, todo el pensamiento de las clases *burguesas* españolas estaría determinado por sus intereses explotadores, y sus alegatos en torno a la Unión Soviética carecían por ello de valor. Los reaccionarios españoles tendrían el mismo destino que los rusos.

En fin, la teoría de la lucha de clases suministraba las explicaciones convenientes a casi todos los problemas de la historia y la vida social. Cada clase luchaba por sus intereses y creaba las ideologías y partidos apropiados. Estos enfoques siguen pesando con extraordinaria fuerza en medios académicos, y una proporción muy elevada de la historiografía actual y, por supuesto, de la dedicada a la guerra civil, viene marcada por esas concepciones en torno al «movimiento obrero», el «pueblo», las «oligarquías», etc. Da igual que los partidos «oligárquicos» reciban el apoyo de la mitad o la mayor parte de los votantes, o que hayan existido al menos cuatro partidos «representantes de la clase obrera» y perfectamente capaces de enzarzarse en peleas exterminadoras entre ellos. La aparente virtud explicativa de la teoría desafía tranquilamente a los hechos.

Hoy, cuando el colosal y terrorífico experimento comunista ha caído por tierra, podemos dar el veredicto definitivo, pero erraríamos si diéramos por desaparecida la posibilidad de nuevos intentos utópicos. El pensamiento conservador, como el religioso, acepta la presencia de la injusticia, de la insuficiencia y el malestar de la vida como parte de la condición humana. Por eso, aunque no limita la vida humana al sufrimiento, y presta atención a los placeres, al esfuerzo recompensado o al progreso, se hallará siempre en cierta desventaja frente a quienes declaran innecesarios y superables esos males y señalan acusadoramente a los culpables de que los males pervivan. La inversión resulta fácil y sugestiva: los que incitan a aceptar el malestar o las dificultades de la vida son precisamente los causantes de ellos, los beneficiarios de las injusticias, del esfuerzo no retribuido, del malestar y las dificultades sufridos por la mayoría. Un factor del poder sugestivo de las ideologías revolucionarias consiste en su capacidad para señalar el Mal y a sus causantes, fueran los judíos para los nazis, los *burgueses* para los comunistas, los curas para casi toda la izquierda española, etcétera.

Por otra parte, la designación y la eliminación del Mal no impedían que éste resurgiera misteriosamente en las propias filas de los portadores del Bien, provocando en ellas peleas a veces realmente salvajes: ya quedó dicho que nadie asesinó a más comunistas que Stalin o, posteriormente, Mao Tse-tung, y, sin llegar a esos extremos, las luchas de camarillas en las organizaciones anarquistas han sido descritas por algunos de ellos como propias de lobos. No viene aquí al caso teorizar al respecto, pero la reiteración con que las brillantes promesas utópicas han llevado al desastre indica bastante sobre su carácter, en el fondo pueril y arbitrario. Los utopismos pueden describirse como «la cara cursi de la tiranía». En definitiva, y de modo algo misterioso, «nuestros sueños... terminan siempre en pesadillas».

Franco conocía, desde luego, la capacidad de atracción del comunismo. Advertiría, por ejemplo, en 1963, cuando la URSS exhibía sus logros en la conquista del espacio:

> El comunismo ha recogido la bandera de lo que una gran parte del mundo anhela.

Pero, a su juicio, se trataba de un fraude:

> El comunismo tiene dos caras: la que presenta al exterior con la definición del gobierno del pueblo por el pueblo, la de la justicia social, la de la igualdad de oportunidades, la de su potencia militar y adelanto científico logrados, la de la empresa pública y negación de clases; pero oculta la otra, la real, la del comunismo por dentro, y que explica los muros de la vergüenza, los telones de acero y el alambre de espino circundando las fronteras, la del imperialismo insaciable, la del terrorismo policíaco, la de la esclavitud y anulación de toda clase de libertades, la de las persecuciones religiosas, la negación de la justicia, la omnipotencia del Estado, la negación de todos los derechos y la desaparición total de la dignidad humana. Enseña la cara que cautiva y oculta la que repele; pero en esa cara oculta está la debilidad y el fracaso completo del comunismo.

También podía acusársele a él de escaso respeto a los derechos y libertades políticas, pero ciertamente éstas sufrían mucho más en los países comunistas, y su dictadura no había rodeado a España de muros, alambre de espino y puestos de ametralladoras.[1]

Por ello, a su entender, el comunismo dejaría una profunda huella en la humanidad, pero no podría sostenerse demasiado:

> Si la Revolución francesa tuvo tanta repercusión en los sistemas políticos que la siguieron hasta nuestros días, hay que deducir la influencia que va a tener en el futuro el paso del comunismo por la

mitad de la población del universo. Y no es que el comunismo pueda en sí perdurar, porque lleva dentro el germen mismo de su destrucción, y los que le odian más y le rechazan son los pueblos que de alguna forma lo han sufrido.[2]

Por eso, a fin de neutralizar la atracción del comunismo, el general procuró recoger algunas banderas obreristas y populistas, como el desarrollo de la Seguridad Social, creada en España por su régimen, y medidas legales que dificultaban el despido, el desahucio de la vivienda, etc. Y aunque las prohibidas huelgas y manifestaciones de obreros y estudiantes llegaran a cobrar cierto auge en los años sesenta, cabe observar que los movimientos revolucionarios, tan decisivos en la gestación de la guerra civil, no volvieron a adquirir en España verdadera importancia durante su régimen, ni tampoco posteriormente.

CAPÍTULO IV

Una guerra muy azarosa: del golpe fracasado a la guerra corta

El golpe planeado por Mola no buscaba una guerra civil, como el izquierdista de 1934, sino la rápida conquista del Estado para implantar una dictadura militar transitoria y republicana. A partir del 17 de julio del 36 se sucedieron, de forma bastante confusa, los alzamientos en diversas guarniciones, y al tercer día pudo constatarse el fracaso del plan. Quedaban en manos del Frente Popular todas las reservas financieras, la mayor extensión peninsular, las principales ciudades y centros de comunicaciones, prácticamente toda la industria, incluida la militar y otra mucha fácilmente militarizable, los principales recursos mineros y energéticos, los mayores depósitos de carburante, la mitad del ejército de tierra, casi dos tercios de las fuerzas de seguridad (Guardia Civil y de Asalto, principalmente, mejor entrenadas que los soldados) y una proporción aún mayor de la aviación y de la marina. Para empeorar las cosas, la más extensa zona rebelde, desde Zaragoza hasta Galicia, dominada por Mola, sufría una extrema penuria de municiones. Como concluyó razonablemente Prieto al analizar la situación, a los rebeldes no les cabía esperanza alguna:

> Podría ascender hasta la esfera de lo legendario el valor heroico de quienes impetuosamente se han lanzado en armas contra la República, y aun así serían inevitable, inexorable, fatalmente vencidos.[1]

Este resultado no fue casual sino efecto, ante todo, de la previsión del gobierno republicano de izquierda (Azaña y Casares). Pese a lo cual éste no logró retener el poder ante el impulso revolucionario, tan madurado en los meses anteriores. Casares dimitió y el Gobierno pasó a Martínez Barrio, que intentó la única estrategia posible para frenar la revolución: la alianza con las derechas, que acababan de declararse en rebeldía. Demasiado tarde. Las masas, en las calles madrileñas, le desbordaron, acusándole de traición, y Mola no podía ya dar marcha atrás. Martínez Barrio dimitió a su vez y salió literalmente a escape de Madrid. El poder pasó a un político mucho más extremista y amigo de Azaña, Giral, que procedió, como primera medida, a ordenar el armamento de los sindicatos. Con ello cayó por tierra el último vestigio de la República de 1931, y cundió imparablemente por más de la mitad del país un violentísimo movimiento de masas.

Los rebeldes disponían del entusiasmo de una riada de voluntarios, especialmente los requetés de Navarra, pero mal entrenados y armados. Su único triunfo efectivo consistía en el ejército de África, pequeño (unos 23.000 soldados) y sin armamento pesado ni apenas aviación, pero bien entrenado y disciplinado, y con moral muy alta. Por desgracia para él, el dominio del mar por las izquierdas lo volvía inútil, dejándolo aislado en Marruecos.

No sabemos cómo reaccionaron los jefes rebeldes ante su fracaso inicial, pero Franco proclamó desde el primer momento, en contraste con sus anteriores vacilaciones, una «fe ciega en la victoria», actuando desde el primer momento como jefe, aunque no lo fuera en absoluto. A los problemas materiales se añadían los derivados de un mando disperso que fácilmente podía caer en rivalidades o malentendidos. Mola, principal director del alzamiento, mandaba en la extensa zona norte; Queipo de Llano, un militar muy capaz, en Sevilla y sus aledaños, y Franco, a la cabeza del ejército de África, carecía de terreno propio en la Península. Sanjurjo, jefe máximo, murió en accidente aéreo en Portugal al comenzar el levantamiento.

Franco superó el arduo problema del aislamiento de sus tropas en Marruecos trasladando pequeñas unidades sobre el estrecho de Gibraltar en los contados aviones de que disponía. Organizó así el primer puente aéreo de la historia. En Andalucía occidental, el golpe se había impuesto en algunas ciudades, principalmente en Sevilla gracias a la audacia de Queipo de Llano, pero no pasaban de enclaves en medio de un mar enemigo, destinados a hundirse si no recibían pronto ayuda externa. Las reducidas fuerzas africanas cambiaron radicalmente el panorama, consolidando en pocos días el dominio rebelde en una amplia zona andaluza. Hecho lo cual, y sin pérdida de tiempo, emprendieron la marcha hacia Extremadura, hasta lograr, en pocas semanas, la victoria estratégica de unir la zona norte y la zona sur de la rebelión, pasando a Mola las municiones cuya falta le había llevado al borde de la catástrofe. La derrota inicial de los rebeldes, prólogo casi ineluctable a su completo aplastamiento, se había transformado en una sucesión de pequeñas victorias, ninguna decisiva pero que mejoraban notablemente su posición.

Sorprende a primera vista la ineficacia del Frente Popular, dueño no sólo del mar sino también del aire, para impedir tanto el puente aéreo como un temerario transporte de tropas y pertrechos por agua de Ceuta a Algeciras. La causa de esa ineficacia radica en el desorden creado por la revolución y por las zancadillas y rivalidades entre las izquierdas, que impedían un mando único y articulado. Pues la seguridad en la victoria había desatado en ellas la competencia por obtener las mejores posiciones con vistas al reparto del botín. Lo señala Azaña en referencia a actitudes de los nacionalistas catalanes, y Carrillo lo explica concretamente. Creyendo inminente el triunfo, cada partido y sindicato quería disponer del mayor poder armado posible, a fin de sacar la mejor tajada a la hora de repartirse la piel del oso.[2]

Un bulo muy difundido en libros de historia adjudica el puente aéreo a la aviación italiana y alemana. En realidad, la innovadora idea partió de Franco o de su círculo inmediato, y se realizó con escasos aviones españoles más uno alemán requisado, en las dos primeras y cruciales semanas. La llegada de aviones italianos y alemanes simplemente aceleró el traslado, siempre con rendimiento bajo aunque eficaz, cuando ya estaban alcanzados o a punto de alcanzarse los principales objetivos de la operación: la consolidación de Andalucía occidental y el enlace con la zona norte de la rebelión.

Los dos bandos tuvieron también necesidad de comprar armas y contratar algunos especialistas extranjeros. Necesidad mucho más perentoria en el bando rebelde, pues apenas disponía de infraestructura industrial, mientras que sus enemigos podían intensificar en seguida la fabricación de cañones, ametralladoras, bombas, fusiles y otras armas, y, transformando otras industrias, fabricar hasta carros de combate o aviones. Además, podían adquirir armamento a discreción en el extranjero, gracias a las reservas de oro (las cuartas del mundo), plata y divisas del Banco de España, en tanto que los rebeldes debían recurrir casi enteramente al crédito, avalado tan sólo por la posibilidad, muy remota en aquel momento, de ganar la guerra. Entre los alzados, Franco tenía mucho más prestigio internacional que Mola o sus restantes compañeros, y gracias a él, probablemente, le fue posible comprar a préstamo material de guerra en Alemania e Italia, reacias en un primer momento. El material consistió principalmente en aviones —de buena calidad los italianos, bastante peores los alemanes— y tanquetas provistas de ametralladoras, pero no de cañón. El Frente Popular también adquirió aviones, en Francia principalmente, sumándolos a su superioridad numérica, pero los empleó de manera dispersa. Franco, por el contrario, concentró sus recursos en la protección de su pequeña tropa, compuesta de legionarios, regulares y algunos voluntarios, y así alcanzó una superioridad aérea local.

De este modo, el general gallego tomó la iniciativa y se sintió en condiciones de terminar pronto la contienda con una marcha sobre Madrid. Mucho se ha hablado sobre esta ofensiva, criticando su desvío a Toledo, supuesta torpeza que le habría hecho perder la capital. En realidad aquella reducida infantería, imbatible en campo abierto y hasta en poblaciones medianas, ¿bastaría para conquistar la capital, con su millón de habitantes? Iban a llegar a Madrid unos 20.000 soldados sin verdaderos carros de combate ni apenas material pesado, y la posibilidad de que terminasen absorbidos y destruidos en una lucha de calles era muy real, como Franco sabía y temía. Convencido de que su ventaja más auténtica era de orden psicológico, y de que cualquier derrota podía resultar desastrosa, buscó la completa desmoralización del adversario, derrotándolo una y otra vez, antes de afrontar la toma de la capital, esperando que ésta cayera como fruta madura. Sólo en esas condiciones tenía sentido la idea de conquistarla. Y después de ocupar Toledo y liberar su alcázar, cuya épica resistencia había tenido eco mundial, el desánimo del enemigo parecía irreversible Por otra parte, la caída de Madrid habría provocado un choque moral y militar tan demoledor sobre el desanimado Frente Popular que, tras ella, la guerra debía concluir rápidamente. A principios de noviembre, las columnas del bando que se llamó a sí mismo nacional llegaban a los arrabales de la capital, mientras el Gobierno izquierdista huía en desorden a Valencia.

Franco había intentado una guerra corta, y parecía a punto de conseguirlo en noviembre de 1936, a sólo cuatro meses de empezada. Estos hechos desmienten versiones muy corrientes, según las cuales habría buscado alargar innecesariamente la lucha (no sólo ello habría sido innecesario, sino suicida), o habría actuado con gran torpeza en el orden militar. La consideración objetiva de los hechos indica justo lo opuesto: había superado una situación de comienzo casi desesperada, pasando audazmente algunas tropas por el estrecho de Gibraltar e inventando de paso un nuevo tipo de acción bélica; había asegurado la posición de Queipo en Andalucía, unido las zonas norte y sur de la rebeldía, éxito estratégico de primer orden, y ayudado de modo importante en acciones secundarias, pero de valor psicológico o militar muy grande, como la liberación de la sitiada Oviedo o la ocupación de Guipúzcoa; había logrado mantener invictas sus columnas a lo largo de una difícil marcha de más de quinientos kilómetros, empezada con sólo unos centenares de soldados; falto de respaldo financiero, había adquirido aviones y otro material del extranjero en condiciones mucho mejores que las obtenidas por sus enemigos con sus reservas dinerarias comparativamente gigantescas.

Este conjunto de logros con máxima economía de fuerzas no debe calificarse de bueno, sino de brillante, para cualquier militar en cualquier país o época. El balance no llega a quedar deslucido por las habituales fantasías sobre presuntas motivaciones personales, ocasiones supuestamente desaprovechadas o intenciones torcidas del general. La persistencia de numerosos izquierdistas en achacar sus propias derrotas a un inepto no deja de revelar esa peculiar psicología e inteligencia nada excesiva sobre las que Azaña hizo tantas observaciones punzantes.

También por ello Franco fue proclamado, el 1 de octubre, jefe supremo, militar y político, del bando rebelde. A veces se ha interpretado tal hecho como un golpe de Estado, pero la expresión no le acomoda, tanto porque no existía en ese momento un Estado —empezaba a construirse entonces— como por no haber tenido Franco rival entre sus conmilitones. Algunos, desde luego, le miraban con desconfianza o aversión, en particular Queipo de Llano, que no se consideraba en nada inferior a él, y con quien tendría malas relaciones. Queipo había logrado imponerse, mediante una serie de acciones temerarias y con fuerzas mínimas, en una ciudad como Sevilla, considerada por todo el mundo un feudo de las izquierdas extremas, más aún que Madrid, donde los sublevados contaban con mayores fuerzas y habían fracasado. Sus campañas posteriores siempre fueron acompañadas por el éxito, y dictó normas económicas muy eficaces en la parte de Andalucía donde dominó, restableciendo una producción agrícola e industrial de la que se beneficiaron todos los sublevados. Como han señalado sus apologistas, sin su victoria inicial en Sevilla habría sido muy difícil el puente aéreo sobre el Estrecho. No obstante, los méritos de Franco le superaban netamente, como quedó indicado. Además, perjudicaba a Queipo su pasado historial de conspirador republicano a principio de los años 30. Si hemos de creer a Sainz Rodríguez, llegó a concebir un odio visceral hacia el Caudillo, a quien habría atacado furibundamente en unas memorias hoy perdidas.

Franco quedó proclamado, con algunos equívocos, jefe del Gobierno y del Estado, con poderes omnímodos que en la intención de algunos quedaban limitados a la duración de la guerra, pero que terminaron por ser generalmente aceptados como un cargo permanente. Él, de hecho o de derecho, identificó su nueva posición como una especie de dictadura por vida, y adoptó los títulos de «Generalísimo» y de «Caudillo», el último con reminiscencias fascistas, similar al de *Duce* o *Führer* distintivos de Mussolini y Hitler respectivamente, con el sentido, en ambos, de «Conductor». Se consideraba y era monárquico, pero su experiencia respecto del comportamiento de Alfonso XIII, y lo que conocía de otros reyes, le incitaban a la cautela hacia ellos, e iba a diferir muchos años la vuelta efectiva de la monarquía.

Su bando se definió como «nacional», en parte por evitar el término nacionalista (aunque en la práctica lo fuera), pues en la doctrina corriente de la derecha los nacionalismos construían una especie de religión sustitutoria, haciendo de la nación un fetiche, cosa inaceptable para los católicos. El grueso de las izquierdas también adoptaría un nacionalismo españolista exacerbado, viendo en él un método eficaz de motivar y movilizar a las masas.

CAPÍTULO V

La prolongación de la guerra

Sin embargo, la guerra no iba a concluir tan pronto. Cuando las tropas de Franco llegaban a Madrid, la situación estaba dando un vuelco cuya magnitud él no había podido prever, aunque estuviera informado de algunos de sus factores. De pronto, su superioridad aérea local se invirtió ante la presencia de aviones soviéticos bastante mejores que los suyos; en tierra iba a enfrentarse a una infantería mucho más numerosa, pues a la clásica combinación de milicias, tropas y fuerzas de seguridad se añadían nuevas brigadas mucho mejor organizadas que las anteriores columnas, dotadas además de verdaderos carros de combate provistos de cañón, muy superiores a sus tanquetas; llegaban además las brigadas internacionales y las columnas catalanas de Durruti, así como asesores y especialistas soviéticos de primera fila; en fin, la artillería enemiga, más potente, machacaba a los nacionales desde posiciones dominantes.

En Madrid, las izquierdas se percataron en seguida de que su superioridad material y de posición les permitía no sólo contener a los atacantes, sino destruirlos, brindándoles la oportunidad de llevar la rebelión al colapso, como en julio tras el fracaso del golpe de Mola. Por tres veces montaron ambiciosas contraofensivas de envolvimiento, pero las tres veces fracasaron ante una resistencia empecinada. Tan sólo consiguieron frenar, y a duras penas, a las fuerzas de Franco, mandadas sobre el terreno por Varela. La magnífica propaganda soviética —pues fueron los comunistas el alma de la lucha en Madrid— convirtió este muy relativo éxito en una victoria de trascendencia mundial, celebrada como una epopeya heroica desde Usa hasta China, pasando por Francia.*

La intervención soviética iba a cambiar de forma decisiva la duración y el carácter de la guerra. Las izquierdas recibieron una poderosa inyección de moral y volvieron a creer en la victoria. Seguían superando en mucho, materialmente, a los nacionales, pero estaba bien comprobado que esa superioridad valía poco si no existía un mando capaz de sacarle partido mediante una estrategia adecuada y capacidad para hacerse obedecer. Y esa estrategia y unidad de mando llegaban por fin de la mano, sobre todo, de los comunistas. Stalin y el PCE, su partido agente en rapidísima expansión, marcaron el camino: contener las conductas más caóticas de la revolución y dar un barniz democrático a la propaganda, a fin de atraer a Francia y Gran Bretaña hacia el Frente Popular. Las discrepancias partidistas debían reprimirse en aras de la victoria contra el enemigo común, y debía abandonarse de una vez el sistema miliciano para sustituirlo por un nuevo ejército en toda regla. Ese ejército debía desarrollarse a la máxima escala, imponiéndole una disciplina de hierro y politizándolo en un sentido cada vez más evidentemente comunista.

La batalla de Madrid pondría fin en los dos bandos a la etapa de las columnas irregulares. En adelante intervendrían grandes unidades normales: brigadas, divisiones, cuerpos de ejército, etc., y la población masculina sería movilizada a fondo: algo más de un millón de soldados los nacionales y cerca de millón y medio el Frente Popular.

Otra novedad fue el aumento de la intervención extranjera, hasta entonces muy escasa, limitada a unas decenas de aviones y otras armas y pocos voluntarios o especialistas. La escalada de la intervención soviética y de las brigadas internacionales originó la réplica de sus contrarios: la Legión Cóndor y el Cuerpo de Tropas Voluntarias italianas (CTV). Con todo, la presencia de tropas extranjeras nunca superaría el diez por ciento de las empeñadas en la lucha, y, por otra parte, ambas intervenciones, la soviética y la fascista, iban a tener carácter y consecuencias muy distintos.

---

*   Aún recientemente J. Martínez Reverte ha escrito un libro sobre la mítica batalla, reproduciendo en lo esencial la vieja propaganda soviética, que, como vemos, se resiste a dejar paso a la historiografía.

Franco, empeñado en conquistar la capital por creer que así acortaría la contienda, insistió repetidamente en el intento en los meses siguientes, con fuerzas mucho mayores (batallas de la carretera de La Coruña, Jarama, Guadalajara). Pero el enemigo le opuso también fuerzas superiores, y una y otra vez fracasó. A pesar de ello no salió derrotado, excepto en Guadalajara; conservó su ejército y nunca perdió la iniciativa. Tras comprobar por severa experiencia la inutilidad del empeño, aceptó la idea de cambiar de frente, orientándose contra la franja cantábrica enemiga. Ésta se extendía entre Asturias y Guipúzcoa, sobre un terreno muy difícil y poblado, donde el Frente Popular tenía el grueso de su industria pesada y de armas, además de minas de carbón, hierro y otros minerales importantes para la guerra, así como fuerzas muy potentes y bien armadas, excepto en el aire.

Comenzó la lucha por la franja norteña a principios de abril de 1937, por Vizcaya. Las izquierdas y los nacionalistas vascos sumados a ellas resistieron con tesón, mientras el Gobierno de Valencia lanzaba reiteradas contraofensivas en las cercanías de Madrid y en Aragón (La Granja, Brunete, Huesca, Belchite y algunas otras), aprovechando su ventaja sobre los nacionales en todos los terrenos, incluido el aéreo. Pero estas contraofensivas se estrellaron una y otra vez contra una resistencia inconmovible, a menudo en inferioridad material abrumadora.

Durante la lucha por Vizcaya se produjo el bombardeo de Guernica, que entró en las grandes leyendas del siglo XX. Según hoy sabemos produjo un máximo de 126 muertos, y no los 1.600 y hasta 3.000 que se han venido dando, y fue realizado sin órdenes de Franco por la Legión Cóndor y aviones italianos, no pudiendo cumplir una función militar en principio prometedora. No obstante, tuvo un efecto político sin parangón, muy perjudicial para los nacionales por un lado, pero beneficioso por otro, ya que los jefes del PNV, aunque exteriormente llamaron a combatir sin tregua, reforzaron en seguida sus contactos con los fascistas italianos con vistas a traicionar a sus aliados de izquierdas, facilitando así eficazmente la victoria de Franco.

La campaña del norte duraría cerca de siete meses, y culminaría el 21 de octubre, en Gijón, con la total ocupación de la zona, la captura de unos doscientos mil prisioneros (la mitad de los cuales pasó a integrar el ejército de los vencedores) y un enorme botín en armas, indus-

trias, etc. Franco alcanzaba por fin una relativa superioridad material y
una certeza razonable en la victoria.

Pese al terrible descalabro, la capacidad de resistencia izquierdista
distaba mucho de hallarse agotada. En mayo, el Gobierno de Largo
Caballero, cada vez más molesto para los comunistas, había sido des-
plazado y sustituido por el de Negrín, también llamado «de la victoria»
y perfectamente adaptado a las exigencias estalinianas (quienes no se
adaptaron, como Prieto, terminaron expulsados como lo había sido
Largo). El esfuerzo de movilización se reduplicó y se impuso un códi-
go de disciplina auténticamente feroz. Los comunistas alcanzaron una
hegemonía casi completa en el ejército y la policía, y consiguieron una
importante victoria inicial en Teruel, al acabarse el año 1937. Sin embargo, Franco iba a transformar esa victoria en una derrota catastrófi-
ca para las izquierdas, recobrando la ciudad y lanzando luego una con-
traofensiva hasta llegar al Mediterráneo a mediados de abril del 38,
partiendo en dos la zona del Frente Popular. En ese momento consideró la guerra ganada, e hizo una severa advertencia:

> A vosotros, enemigos de España, que todavía sacrificáis la vida
> y el esfuerzo en una resistencia doblemente criminal en su esterilidad,
> parece innecesario que os diga, porque bien lo sabéis, que estáis ven-
> cidos. Hora es ya de que las masas que tenéis tiranizadas sepan que
> la prolongación de esa resistencia absurda sólo se explica porque la
> empleáis en la mejor preparación de vuestra huida. Pero ¡sabedlo!:
> cada día que pase, cada vida más que sacrifiquéis, cada crimen que
> cometáis, es una nueva acusación para el día en que comparezcáis ante
> nuestra justicia.[1]

Para él no se trataba de una guerra vulgar, sino de un choque de
características y repercusión mundiales:

> Estamos ante una guerra que reviste, cada día más, el carácter
> de Cruzada, de grandiosidad histórica y de lucha trascendental de
> pueblos y civilizaciones. Una guerra que ha elegido a España, otra
> vez en la Historia, como campo de tragedia y de honor, para resol-
> verse y traer la paz al mundo enloquecido de hoy (...) Luchando con-
> tra el comunismo creemos prestar un servicio a Europa, ya que el co-

munismo es un peligro universal. Si sucumbiéramos, el peligro sería mayor para los demás pueblos.

Sus enemigos se expresaban a menudo en términos parecidos, aunque invirtiendo, naturalmente, los papeles.[2]

Los políticos izquierdistas no pensaban, o no pensaban solamente, en preparar la huida, sino en mantener la guerra hasta enlazarla con la europea que todo el mundo veía echarse encima. Por entonces, las perspectivas europeas se volvían tormentosas, debido a la absorción de Austria por la Alemania nacionalsocialista y las reclamaciones y amenazas de Hitler contra Checoslovaquia. En tales circunstancias cabía esperar que las democracias, en particular Francia, decidiesen resarcirse interviniendo en España a favor del Frente Popular, o bien imponiendo un protectorado y zona de seguridad hasta el río Ebro, como pretendían los separatistas catalanes y vascos. De hecho hubo proyectos de intervención por parte de París, y Franco, bien consciente del peligro, debió extremar sus precauciones. Renunció de momento a una ofensiva sobre la sensible región catalana y desvió el filo de su ataque hacia el sur, hacia Valencia, donde se mellaría en un penoso avance frente a una resistencia enconada de las izquierdas.

La guerra europea estaba, pues, en el aire, y si algo interesaba a Franco era terminar la de España antes de que aquélla estallase. Por la misma razón, Negrín trataba a toda costa de prolongar la lucha, para enlazarla con la europea, como aclararía él mismo en diversas ocasiones. En ello veían las izquierdas su propia salvación, aun a costa de multiplicar las muertes y penalidades, y por eso mantuvieron a todo trance la decisión de combatir a pesar de los sucesivos desastres.

Y así, quienes parecían al borde del colapso dieron de pronto la sorpresa al mundo entero, hacia finales de julio, de emprender una ofensiva de gran envergadura desde Cataluña, a través del río Ebro, que debía atrapar por la espalda a todo el ejército nacional desplegado en la costa, sobre Valencia. La ofensiva obtuvo al principio notables éxitos y pareció haber alguna posibilidad de que infligiera una derrota decisiva a sus enemigos, pero, como todas las anteriores de las izquierdas, encalló ante una resistencia roqueña. Franco tuvo la ocasión de retener allí al ejército enemigo y contraatacar más al norte, copándolo en una maniobra clásica. Pero él desdeñó la idea en que le insistían varios de sus subordinados, y resolvió librar en cambio una cruenta batalla frontal en un terreno muy difícil, para destruir allí mismo la fuerza adversaria. No sabemos exactamente sus razones, pero durante la larga batalla del Ebro, la más sangrienta de la contienda, transcurrió la llamada «crisis de Munich» durante la cual Europa estuvo a un paso de la guerra, y parece claro que Franco prefirió librar el combate lejos de la inquietante frontera francesa, para no dar a París ningún pretexto de intervención. En cambio, la aniquilación del ejército izquierdista del Ebro debía facilitarle luego una penetración más cómoda y mucho menos arriesgada hasta los Pirineos. Y así ocurriría en la realidad, sin que el filo de la ofensiva se mellara como en Valencia.

Superada la crisis de Munich y terminada de ocupar Cataluña en enero de 1939, quedaba a las izquierdas una extensión de territorio muy amplia en el centro, con importantes ciudades como Madrid y Valencia, buenos puertos y la base naval de Cartagena, sede de una flota todavía muy potente. Y medio millón de hombres en armas. La resistencia seguía siendo posible, y de hecho los nacionales habían afrontado situaciones mucho más arduas.

Franco preparó con cuidado la ofensiva final, pero entretanto aparecieron claros síntomas de descomposición en el bando contrario. Los republicanos de izquierda habían unido su destino al de los revolucionarios, como queda dicho, y Azaña había aceptado servir a un Frente Popular cada vez más dominado por Moscú, en medio de frecuentes e inconclusivas amenazas de dimisión, pero la caída de Cataluña había sido demasiado. Huido a Francia, dimitió por fin de la presidencia, por lo demás puramente nominal, de una república que en rigor había dejado de existir en los meses previos a julio del 36. Negrín, los comunistas y un sector socialista insistían en la lucha a ultranza, pues la contienda europea no podía tardar ya. Pero otros socialistas, en especial Besteiro, los anarquistas y varios militares republicanos conspiraban en pro de una capitulación más o menos honrosa, casi cualquier cosa con tal de sacudirse el yugo comunista. Besteiro, único dirigente que prefirió quedarse en vez de huir, expresaría un sentimiento extendido al definir al bolchevismo como

la aberración política más grande que han conocido quizá los siglos.[3]

Franco no admitió otra salida que la rendición incondicional, y sólo prometió clemencia a quienes no hubieran participado en el terror izquierdista, y algunos atenuantes en la justicia. Al final se trataba de elegir entre la sumisión a Franco o a Stalin, y los conspiradores prefirieron a Franco. Sin embargo, sus posibilidades de imponerse a las tropas comunistas, mucho más fuertes, eran nulas. Así y todo rechazaron la legitimidad de Negrín y se sublevaron en el llamado «golpe de Casado», por el nombre del coronel que la encabezó. Siguió una guerra civil entre las propias izquierdas, con cientos o miles de muertos y numerosos fusilamientos. Era el segundo de estos episodios, pues en mayo de 1937 había ocurrido uno muy similar en Barcelona.

Sorprendentemente, los comunistas no movilizaron sus fuerzas, y las que reaccionaron parecían haberlo hecho espontáneamente, sin órdenes. Así fueron vencidos después de unos días, mientras huían al extranjero todos los dirigentes, los comunistas, negrinistas y los del golpe de Casado (con la excepción citada de Besteiro). Franco se mantuvo a la expectativa, y, cuando juzgó la situación madura, ordenó avanzar a sus tropas, que ocuparon con rapidez y sin apenas disparar un tiro toda la zona que quedaba en manos de sus enemigos. El 1 de abril emitía su famoso comunicado:

> En el día de hoy, cautivo y desarmado el Ejército rojo, han alcanzado las fuerzas nacionales sus últimos objetivos. La guerra ha terminado.

Si analizamos la conducción de Franco durante la fase larga de la guerra, llegamos fácilmente a la conclusión de que fue, en líneas generales, excelente. Al igual que el Frente Popular, hubo de crear un verdadero ejército después de la etapa de las columnas y los voluntarios, y lo hizo con mayor eficiencia que sus enemigos. Como ha señalado Ramón Salas, las izquierdas mostraron mayor espíritu de innovación en la organización militar, y él practicó un conservadurismo acaso excesivo, ateniéndose, paradójicamente, al modelo diseñado por Azaña. Pero, en definitiva, son los resultados los que cuentan, y su ejército, casi siempre inferior en número, resultó más móvil, adaptable y capaz de rehacerse con rapidez, sin necesidad de aplicar a la tropa las medidas disciplinarias realmente terroristas de sus adversarios.* La capacidad de resistencia de sus tropas en condiciones desfavorables puede calificarse de heroica en bastantes ocasiones, a lo cual rara vez llegaron las del Frente Popular.

Por lo demás, no sufrió una sola derrota de alcance ni perdió nunca la iniciativa, pues supo siempre transformar las ofensivas enemigas, emprendidas muchas veces con aplastante superioridad de medios, en maniobras contraofensivas victoriosas para las armas nacionales. En la campaña del norte sacó el máximo partido a su ventaja aérea, muy resentida por sus adversarios, a costa de dejar sin apenas aviación otros frentes, en especial el vital del centro, en torno a Madrid; pero aquí los revolucionarios nunca obtuvieron ningún triunfo importante, pese a su neta superioridad en el aire. Demostró también una notable flexibilidad, adaptando sus planes a los cambios en la situación, o aceptando propuestas de sus subordinados cuando las creía acertadas, aunque contradijeran sus ideas previas (como cuando renunció a Madrid y centró su esfuerzo en el norte). Algunos le han criticado por ello, achacándole ineptitud por no atenerse a una estrategia sostenida y consistente. La crítica tendría valor si esa supuesta inconsistencia le hubiera llevado a algún descalabro, pero sus victorias sucesivas marcan la diferencia entre flexibilidad y veleidad.

Debe descartarse asimismo la frecuente objeción de que alargó innecesariamente la guerra. Tal crítica presupone una superioridad material y de dirección tan abrumadora que pudiera permitirle jugar con sus enemigos como el gato con el ratón, idea que sólo puede sostenerse sobre una radical ignorancia de los hechos. En la primera fase de la contienda luchó en una desesperanzadora inferioridad material, pese a lo cual procuró aprovechar las cualidades de sus tropas y la mala coordinación de las adversarias para decidir la lucha con rapidez, y estuvo muy cerca de lograrlo. Luego consiguió organizar, como queda dicho, un ejército más ágil y eficaz que el contrario, pero eso no le garantizaba una victoria a voluntad, en cualquier momento, contra un enemigo nada despreciable. Sólo después de vencer en el norte, quince meses después de comenzada la guerra, alcanzó una verdadera superioridad ma-

---

*   La deserción podía ser castigada en los parientes del desertor hasta de tercer grado. Además, fue frecuente el asesinato de rivales políticos en el frente, a los que luego se acusaba de haber intentado desertar. En *El derrumbe de la república y la guerra civil* recojo diversos testimonios, sacados de los archivos de la Fundación Pablo Iglesias. Nada así ocurrió en el ejército de Franco.

terial, no muy acentuada. Y el afán movilizador del Frente Popular, a veces titánico, y sus reiterados intentos de ganar la iniciativa le colocaron con frecuencia en situaciones muy difíciles. Cuando llegó al Mediterráneo, la victoria pareció segura, y él advirtió con severidad a los gobernantes revolucionarios contra cualquier empeño en continuar el combate, pero éstos todavía fueron capaces de reunir un potente ejército y darle en el Ebro una peligrosa sorpresa. Sólo después de destruido el ejército del Ebro, ya a finales del 38, puede hablarse de una superioridad incontrastable y de la posibilidad de terminar la contienda en cualquier momento. Y, efectivamente, la terminó entonces con rapidez.

Por lo demás, el aserto de una prolongación intencionada de la guerra invierte la realidad. Quienes tenían el máximo interés en alargar los combates eran los dirigentes del Frente Popular, como Negrín se encargó de señalar en varias ocasiones. Franco, precisamente, tenía el mayor interés en acortarlos, a causa de los conflictos europeos, aunque la relación de fuerzas no le permitía hacerlo a voluntad, como quedó indicado. Él mismo lo explicaría:

Debo abandonar todo programa de grandiosa e inmediata liberación total (...) No puedo tener prisa.[4]

Ello le daría «menos gloria, pero más paz». Estas frases han sido interpretadas con total arbitrariedad como un deseo de hacer la guerra larga a fin de proceder a una exhaustiva represión en retaguardia. La represión de retaguardia en el bando de Franco fue muy dura, pero no más que la practicada por los revolucionarios.

Vale la pena señalar, contra la opinión de historiadores algo sanguinarios y propensos a trasladar a Franco su afición, que éste pudo entonces saciar masivamente sus instintos exterminadores lanzándose en tromba sobre sus desmoralizados y casi vencidos enemigos. Sin embargo, en lugar de actuar así esperó a que el Frente Popular se descompusiera internamente para ocupar el terreno sin derramar apenas sangre.

Otra crítica habitual a la conducción militar del Caudillo atribuye su victoria a la ayuda recibida de Alemania e Italia, desproporcionadamente superior, aseguran algunos, a la recibida por el Frente Popular. Tampoco valen gran cosa esas observaciones. La disputa sobre los números de aviones, cañones, tanques, etc., no tiene trazas de terminar, pero es básicamente irrelevante. El Frente Popular partió en las mejores condiciones posibles para comprar material; los rebeldes, en las peores. Las izquierdas no sólo comprometieron todas las reservas de oro y plata del Banco de España, más las divisas requisadas a particulares o provenientes de exportaciones, sino que saquearon, literalmente, las cajas particulares de los bancos, los museos, iglesias e infinidad de domicilios particulares. Muy posiblemente llegaron a comprometer en el esfuerzo bélico en torno a mil millones de dólares, cifra gigantesca para la época, mientras que sus adversarios movilizaron, a crédito fundamentalmente, algo más de la mitad. Aun teniendo en cuenta la corrupción, bastante bien documentada, generada en el manejo de esas sumas por las izquierdas, no resulta fácil creer que ellas recibieran menos material que las derechas. Los datos conocidos indican que las aportaciones recibidas por unos y otros se neutralizaron aproximadamente, y nunca llegaron a ser decisivas. Con una excepción: la batalla de Madrid en noviembre de 1936. Entonces, la intervención soviética impidió la caída de la capital y determinó la prolongación del conflicto.

Además, el problema de las ayudas exteriores está casi siempre mal planteado. Se trató de material y tropas pagados por los españoles. El bando revolucionario, con todos los medios financieros a su favor, lo hizo con una dosis elevada de corrupción y expolio, sin apenas control de las cuentas; el bando derechista, falto de reservas, operó a crédito y pagó sus deudas a Alemania en condiciones muy favorables, y a Italia a precio de saldo, muy por debajo de su valor real.

Pero, sobre todo, la intervención soviética tuvo un carácter muy diferente de la italogermana. La URSS se convirtió en potencia protectora y dominante sobre el Frente Popular, y los políticos y partidos que estorbaron su política en España fueron eliminados sin contemplaciones, a veces violentamente. Así ocurrió con Largo Caballero, con el POUM o los antes poderosos anarquistas, con Prieto, etc. Stalin disponía en España del PCE, un partido absolutamente obediente a sus órdenes, y orgulloso de ello, el cual impuso su hegemonía en órganos determinantes del Estado, particularmente el ejército y la policía. Además, el Kremlin controlaba el oro español depositado por las izquierdas en Moscú. Ni los nazis ni los fascistas italianos dispusieron de posiciones remotamente parecidas en la España de Franco. La Falange no fue un partido agente o satélite de alguna potencia extranjera, y la independencia del régimen de Franco nunca fue puesta en duda. Y ello hasta el punto de que, cuando la crisis de Munich, Franco declaró públicamente su decisión de permanecer neutral en caso de guerra europea, para indignación de Roma y Berlín.

Cabe añadir, en una valoración político-moral, que Hitler no había emprendido todavía los genocidios que más tarde marcarían a su régimen. Stalin, en cambio, ya acumulaba en su haber una inmensa pila de cadáveres.

En este orden de cosas, las democracias europeas y Usa mantuvieron la política de no intervención, que en la práctica sirvió sólo para establecer cierto equilibrio en la intervención de las potencias fascistas y de la URSS. En los últimos años han salido varios libros y artículos criticando severamente esa actitud de las democracias, con la pintoresca idea de que éstas abandonaron o traicionaron a otra democracia, la española republicana... gobernada, como quedó indicado, por una amalgama de marxistas revolucionarios, estalinistas, anarquistas y jacobinos bajo la tutela de Moscú. Conviene insistir en este hecho bien conocido, pero tan a menudo escamoteado, para apreciar el extravío o extravagancia en que ha caído una parte muy considerable de la historiografía acerca de la guerra civil. Y aún sería disculpable la obstinación en este y otros dislates si sus promotores no intentaran establecer alguna forma de censura contra los discrepantes.

En fin, un crucial logro de Franco fue el mantenimiento de una buena economía en su zona, pese a sus radicales desventajas de partida. Los testimonios coinciden en observar un normal abastecimiento, y las estadísticas lo corroboran: la sobremortalidad por hambre y enfermedades carenciales no aumentó, sino que incluso descendió bajo los niveles de preguerra. En la zona izquierdista ocurrió al revés, y en ese defecto encontraba Prieto, acertadamente, una causa fundamental de su derrota. La producción tanto industrial como agrícola cayó de forma desastrosa en el Frente Popular, pese a los continuos llamamientos a los obreros y campesinos para que aumentasen la producción en defensa de «su propia» causa. Una causa que, como evidencian esos datos, no acababan de percibir como propia los trabajadores corrientes. Hay testimonios de que algunos llegaron a negarse a desescombrar después de un bombardeo, en Barcelona, por no corresponder a su horario. El período de mayor hambre en España en todo el siglo XX fue el año 1938 en la zona de Negrín. Peor que 1941 y 1946, otros dos años marcados por la penuria.

Una observación final: cuando Negrín vio la situación perdida intentó ganar tiempo y posición política hablando de un final negociado. El mismo Azaña se burla de la maniobra, comparándola con el cuento del portugués, que prometía perdonar la vida a su enemigo si éste lo sacaba del pozo. Desde luego, Azaña había intentado algo similar a espaldas de sus aliados, sobre todo por salvar la posición de las izquierdas republicanas; y llegó a proponer su famoso lema «paz, piedad, perdón»... demasiado tarde: en 1938, cuando las izquierdas tenían la lucha perdida. Pero Prieto lo había reconocido al principio: los odios habían llegado tan lejos que ninguno de los bandos pensaba conceder tregua al contrario. Las izquierdas, mientras tuvieron esperanzas de victoria, no pensaron en otra cosa que en aplastar sin compasión a los nacionales. Los globos sonda sobre una paz negociada —que podía concluir en una división del país— fueron interpretados por Franco, siempre realista, como un manejo para arrebatarle la victoria en el último momento, y no quiso aceptar otra cosa que la rendición incondicional. En su opinión, los dirigentes enemigos eran poco más que una cuadrilla de maleantes, y no estaba dispuesto a consentir su vuelta al poder en modo alguno.

CAPÍTULO VI

Dos evoluciones políticas

La evolución política de la izquierda y de Franco durante la guerra merece un pequeño examen. Era inminente la amenaza revolucionaria en España, en complicidad —de facto al menos— con el Gobierno, como demostró la forma y la rapidez con que la revolución se impuso apenas la derecha osó sublevarse. Sin embargo, no correspondía a una revolución claramente definida, pues en ella entraban dos tendencias fundamentales: la anarquista, muy fuerte pero de menor peligro a causa de su mala organización, y la marxista. Ya quedó mencionada la diferencia, dentro de esta última, entre los *bolcheviques* de Largo Caballero, orientados hacia una revolución muy próxima, y los comunistas, partidarios de enmascarar el proceso mediante una colaboración más prolongada con las izquierdas *burguesas*. Esta última diferencia da la impresión de tener escasa enjundia, pero pronto se vería que conducía a políticas muy distintas. Conforme pasaban los meses y el panorama se ensombrecía para las izquierdas, Largo tomaba posturas más radicales, se acercaba a los anarquistas —los cuales entraron en el Gobierno en vísperas de la batalla de Madrid, rompiendo con sus más arraigadas convicciones— y enfriaba su trato con los republicanos. A Azaña apenas se molestaba en fingir que le prestaba atención. Además mostraba una creciente renuencia a obedecer a Stalin y se distanciaba de los comunistas, cuya increíble capacidad de absorción y manipulación había comprobado: la unificación juvenil socialista-comunista había arrancado a Largo sus queridas juventudes, que pasaron a convertirse en peones del PCE, mientras crecía en la misma UGT la influencia de los agentes de Moscú.

Las relaciones entre el PCE, por un lado, y el *Lenin español* y los anarquistas por otro fueron agriándose hasta estallar en mayo de 1937, en Barcelona, con una guerra civil entre ellos. Ganó el PCE: los anarquistas salieron del Gobierno y sufrieron una brutal persecución; y lo mismo le ocurrió al POUM, partido marxista tildado falsamente de agente de la Gestapo. Las torturas y los asesinatos contra ellos menudearon.

Pero el resultado principal fue que la CNT, anarcosindicalista, y los socialistas de Largo, las fuerzas más numerosas y combativas del Frente Popular hasta entonces, quedaron barridos por los comunistas, que supieron servirse magistralmente de Azaña y Prieto, enemistados también con aquéllos. Muchos siguen pretendiendo hoy que los comunistas deseaban acabar con la revolución y defender la democracia. Tal pretensión no resiste la evidencia más palmaria. El PCE servía sin escrúpulos a la mayor tiranía totalitaria conocida hasta entonces, y pasó a establecer su hegemonía en los órganos clave del Estado, empleando para ello todo tipo de métodos, incluido el asesinato. La imagen de los comunistas como adalides de la libertad nunca pasó de un tópico propagandístico del Kremlin, aceptado asombrosamente, con matices aquí y allá, por buen número de estudios presuntamente historiográficos. El PCE quería acabar con un tipo de revolución perjudicial para sus objetivos, atraer a la contienda a las democracias y, mediante la «unidad antifascista», ganar la supremacía en el Frente Popular para aplicar su propia revolución. En España ensayó lo que después de la guerra mundial serían las «democracias populares» en la Europa bajo control soviético. Lo más cómico de las retorcidas justificaciones esgrimidas en apoyo de los supuestos demócratas-comunistas es que éstos mismos expusieron sus planes con plena claridad en numerosos documentos antes, durante y después de la contienda.

Al hundirse el Estado republicano, ya subvertido de raíz antes de julio del 36, tanto las izquierdas como las derechas debieron afrontar el problema de construir sendos Estados nuevos, con sus correspondientes ejércitos. Quienes vieron antes y más claro ese problema y diseñaron una estrategia adecuada al respecto fueron los comunistas, y también ellos quienes, pese a su fuerza muy minoritaria al principio, dejaron su impronta en las instituciones principales. La formación del nuevo Estado no llegó a completarse, pero el poder ostentado en él, abierta o encubiertamente, por el PCE, llevó al final, con la derrota militar encima, a que los no comunistas o no negrinistas debieran optar entre Franco y Stalin, como vimos. Y a que prefiriesen la rendición incondicional al primero antes que continuar bajo la férula del segundo.

Debe recordarse que a lo largo de este período, desde la victoria electoral de las derechas en 1933 y luego desde la del Frente Popular, todas las izquierdas cayeron en tales ilegalidades, corrupción y crímenes, que a ninguna persona algo conocedora de los hechos le extrañará demasiado los dicterios de liberales como Gregorio Marañón, Pérez de Ayala u Ortega y Gasset, los grandes promotores intelectuales de la República, de la que terminaron renegando amargamente. Por venir de quienes venían, merece la pena reproducir algunas de tales opiniones, en particular las de Marañón:

> Mi respeto y amor por la verdad me obligan a reconocer que la República española ha sido un fracaso trágico.

Esa afición a la verdad le hacía insoportable

> esa constante mentira comunista, que es lo más irritante de los rojos (...) Ser demócrata ha llegado a ser, en la práctica, esto: creer todo lo que nos dicen en nombre de la democracia. Creer que Rusia representa la libertad; que Negrín es un sabio y un gran político; que el ejército rojo se rehace cada vez que lo derrotan...

Rezuma en sus cartas la indignación de la persona profundamente decepcionada:

> (...) ¡Qué gentes! Todo es en ellos latrocinio, locura, estupidez. Han hecho, hasta el final, una revolución en nombre de Caco y de caca (...)

> (...) Horroriza pensar que esta cuadrilla hubiera podido hacerse dueña de España. Sin querer estoy lleno de resquicios por donde me entra el odio, que nunca conocí. Y aun es mayor mi dolor por haber sido amigo de tales escarabajos (...)

(...) Tendremos que estar varios años maldiciendo la estupidez y canallería de estos cretinos criminales, y aún no habremos acabado. ¿Cómo poner peros, aunque los haya, a los del otro lado? (...)[1]

La última frase resulta especialmente reveladora: un liberal podría poner muchos peros, desde luego, al régimen que poco a poco avanzaba hacia la victoria, pero Marañón, como tantos otros, entendía que Franco y los suyos venían, en la práctica, a salvar a la sociedad española de la pesadilla. No existía ningún liberal ni ningún demócrata capaz de realizar esa tarea, y de nada valía soñar con algún desideratum incumplible. Esa actitud iba a caracterizar, como veremos, a los demócratas y liberales ante el régimen franquista, al cual miraron siempre con escaso agrado, pero sin ejercer contra él ninguna oposición medianamente seria.

Franco, a su turno, ponía todos los peros posibles a la democracia liberal. Formado él en un ambiente y un ejército de tradiciones liberales, la traumática experiencia republicana le había llevado a una conclusión completamente negativa sobre tal sistema. Por alguna razón difícil de discernir, las dos repúblicas habidas en España habían atraído a su causa a todo género de doctrinarios huecos y radicales, y a políticos demagogos, degenerando velozmente en el caos. Azaña, el más inteligente de los líderes republicanos, no deja de lamentar en sus diarios el activismo de aquella gente «impresionable, ligera, sentimental y de poca chaveta» o «el corto entendimiento de sus directores y la corrupción de los caracteres» y la consiguiente «política incompetente, tabernaria, de amigachos, de codicia y botín, sin ninguna idea alta». Hecho definitorio es sin duda que llegaran a rebelarse contra la Constitución elaborada por ellos mismos. Un suceso así no ocurre con frecuencia en ningún país.[2]

Pero Franco extendía la culpa a todo el liberalismo:

Desde septiembre de 1833 a septiembre de 1868 (...) en treinta y cinco años, 41 gobiernos, dos guerras civiles, la primera de seis años; dos regencias y una reina destronada, tres nuevas Constituciones, quince sublevaciones militares, innumerables disturbios, repetidas matanzas de frailes, saqueos, represalias, persecuciones, un atentado contra la reina y dos levantamientos en Cuba.

Los treinta y cuatro años siguientes habían traído

27 gobiernos, un rey extranjero que dura dos años, una república que en once meses tiene cuatro presidentes, una guerra civil de siete años, diversas revoluciones de carácter republicano, sublevaciones cantonales; una guerra exterior con los Estados Unidos y la pérdida de los últimos restos de nuestro imperio colonial, dos presidentes de gobierno asesinados y dos nuevas Constituciones.

La excepción a tales trastornos habrían sido los seis años de la Dictadura de Primo de Rivera, pero después de ella, con la república,

en poco más de cinco años hubo dos presidentes, 12 gobiernos, una Constitución constantemente suspendida, repetidos incendios de conventos, iglesias y persecuciones religiosas; siete intentos o movimientos de perturbación del orden público, una revolución comunista [por la del 34], el intento de separación de dos regiones y el asesinato, por orden del gobierno, del jefe de la oposición. El balance no puede ser más desdichado.[3]

Su crítica al liberalismo recoge a veces tópicos marxistas:

Si podemos decir que al gran siglo liberal le debemos la multiplicación de los bienes, podemos también, en justicia, achacarle la multiplicación de las miserias.

Si bien achaca al materialismo del capital

la causa de que a los progresos técnicos y materiales no les hayan seguido los progresos morales que nos hubieran llevado a una más justa y equitativa distribución de la riqueza.[4]

En España, al menos, el sistema liberal habría fallado:

Si para otros puede constituir el régimen democrático, inorgá-
nico y de partidos, una felicidad o al menos un sistema llevadero, ya
se ve lo que para España constituyó.

El liberalismo, en definitiva, producía una continua y estéril convulsión, y abría las puertas, aun cuando no lo quisiera, a regímenes bastante peores:

> No creemos nosotros en el régimen democrático-liberal y son
> gravísimos los daños que a España ha acarreado, pero no cometeré
> tampoco la injusticia de identificarlo con el que han practicado las
> pandillas de criminales y salteadores que vienen presidiendo los des-
> tinos de la España roja.[5]

Por lo tanto, España debía buscar un sistema más adaptado a su tradición o a sus *esencias* nacionales. El modelo estaba en los siglos XVI-XVII,
el siglo de oro de la cultura y de la potencia política de España, «momento
sublime y perfecto», y a él debían tender todos los esfuerzos políticos.
Las normas y tradiciones encarnadas, a su juicio, en los Reyes Católicos
habían hecho grande al país, pero la renuncia a ellas o su corrupción habrían conducido a la decadencia, culminada en los siglos XIX y XX. Una
clave esencial de la antigua grandeza consistiría en la fe cristiana:

> La religión católica ha sido el crisol de nuestra nacionalidad; en
> sus misterios y en sus dogmas se inspiraron en los siglos más glorio-
> sos de nuestra historia (...)

> La historia de España está íntimamente ligada a su fidelidad a
> nuestra Santa Iglesia. Cuando España fue fiel a su fe y su credo, al-
> canzó las más grandes alturas de su historia (...)

> Los que durante un siglo trabajaban contra Dios, destruían, con
> nuestra fe, la unidad de los hombres y los cimientos sobre los que se
> levantaba la grandeza de nuestra nación (...)

Y así sucesivamente.[6]
Forzando mucho las cosas, entendía que su régimen de caudillaje

respondía o se asemejaba al sistema político del siglo de oro y, por lo tanto, debía devolver a España el esplendor y la creatividad de aquella época, la época imperial. España debía volver a ser un imperio, aunque no quedaba muy claro si un imperio territorial —sólo concebible (o inconcebible) en África y a expensas de Francia— o un imperio «en sentido espiritual», es decir, un centro de proyección cultural y política. Tal programa debía colmarse, o al menos encarrilarse, en su tiempo:

> A la generación llamada del 98 —pensadores y diletantes— se ha opuesto la generación de los hombres de acción surgidos desde 1935, cuyas realizaciones se han traducido en el desarrollo económico de España.[7]

Con todo, su acreditado sentido de la realidad le impedía esperar milagros, como diría a principios de los años 60:

> Las enfermedades de las naciones duran siglos y las convalecencias decenios. España, que con altibajos, ha permanecido tres siglos entre la vida y la muerte, empieza ahora a abandonar el lecho y dar cortos paseos por el jardín de la clínica. Los que quisieran enviarla ya al gimnasio a dar volteretas, o no saben lo que dicen o lo saben demasiado bien.[8]

Un defecto clave del sistema liberal derivaba de los partidos. Éstos tendían a disgregar los esfuerzos, a anteponer los intereses particulares a los generales, y él creía haber superado esa plaga gracias a lo que llamaba «Movimiento Nacional», formado por la unión de la Falange y el tradicionalismo carlista, y también muy alejado, según él, de un régimen de partido único:

> Se equivocan los que creen que nuestro proceso de institucionalización política podría, más tarde o más temprano, conducir a una fragmentación de la unidad social en múltiples partidos políticos. Si en algunos pueblos funciona con eficacia el contraste de pareceres por esas vías, es porque éste se ha forjado y disciplinado en una norma unitaria que todos aceptan. Pero este ejemplo de los otros no nos sirve cuando nuestra historia es en este terreno suficientemente elocuente.[9]

Y ciertamente los extremismos, no necesariamente los partidos, habían tirado de la sociedad española en direcciones opuestas, hasta desgarrarla profundamente.

La principal cualidad del Movimiento consistiría en su esperada aptitud para congregar las energías de los mejores, pero siempre fue descrito por él en forma un tanto vaga: «Ha venido a rectificar los errores de un siglo», «Un movimiento, más que un programa», «Proceso de elaboración y sujeto a constante revisión y mejora, a medida que la realidad lo aconseje», etc. La idea orientadora tenía más de militar que de política, y se basaba en la unidad en torno a unos principios fundamentales, nunca definidos con demasiada precisión. Franco era muy consciente de que una causa muy trascendente de su victoria radicaba en la unificación de las principales tendencias políticas. Logro éste nunca alcanzado por sus enemigos, excepto por los comunistas, y ello sólo parcialmente y al precio de una represión y amenaza permanentes. En un sentido, el Movimiento combinaba la exaltación del patriotismo y la identificación con su indiscutido liderazgo personal, pero consiguió aunar los esfuerzos de bastantes personas de notable mérito profesional e intelectual. No viene aquí al caso señalar nombres, pero debe admitirse que sin esa élite el régimen habría perecido en las rudas pruebas no sólo de la guerra, sino de los años 40.

El régimen debía ser totalitario (aunque con el tiempo se iría olvidando el adjetivo), lo cual, según Franco, no excluía la democracia:

> Se invoca en las propagandas rojas la democracia, la libertad, la fraternidad humana, tachando a la España nacional de enemiga de tales principios. A esta democracia verbalista y formal del Estado liberal, en todas partes fracasada, con sus ficciones de partidos, leyes electorales y votaciones, que olvidan la verdadera sustancia democrática, nosotros (...) oponemos una democracia efectiva, llevando al pueblo lo que le interesa de verdad: verse y sentirse gobernado, en una aspiración de justicia integral, tanto en orden a los factores morales cuanto a los económico-sociales; libertad moral al servicio de un credo patriótico y de un ideal económico sin el cual la libertad política resulta una burla. Y a la explotación liberal de los españoles sucederá la racional participación de todos en la marcha del Estado a través de la función familiar, municipal y sindical.[10]

Y el 1 de mayo de 1959 declaraba al diario mexicano *Excelsior*:

> Si la política de partidos llevó a España en un siglo a tres gue-
> rras civiles y al estado gravísimo de que la sacamos, es natural que bus-
> que soluciones políticas por otros cauces fuera de lo artificioso de los
> partidos, que nosotros hemos conducido por el camino tradicional
> de las organizaciones naturales de la Familia, el Municipio y el Sin-
> dicato. Con ello hemos superado los años más difíciles de nuestra
> vida: hemos liquidado una guerra interna, nos hemos librado de una
> guerra universal, hemos alcanzado veinte años de paz ininterrumpi-
> da. Sin apenas medios hemos hecho resurgir a la nación y creado unas
> ilusiones y un resurgimiento.

La idea de una democracia *orgánica* superadora de la atomización
social achacada al liberalismo mediante los cauces «naturales» de la familia, etc., tenía raíces tanto en el pensamiento ultraconservador como
en el izquierdista. En España aparece ligada al primero y también a la
Institución Libre de Enseñanza o a teóricos del PSOE como Fernando
de los Ríos. Para Sainz Rodríguez, también partidario de ese organicis-
mo y uno de los más enconados antifranquistas en el mundillo monárquico, el Caudillo habría traicionado el ideal de la democracia orgánica, que así habría permanecido inédito en la historia. Algo similar
debió de ocurrir con el totalitarismo falangista, dejando en bastantes
de sus afiliados la queja y la nostalgia por la «revolución pendiente», la
revolución nacionalsindicalista nunca llevada a efecto a pesar de la retórica oficial. Que Franco creyó más o menos en esas teorías puede dar-
se por seguro, pero también que las aplicó siempre adaptándolas a los
intereses fundamentales de la nación, según él los entendía.

Teniendo en cuenta el peso de la Falange en la vertebración política del régimen, sobre todo en los primeros tiempos, y la ayuda recibida de Italia y Alemania, el Caudillo hizo repetidas declaraciones favorables a los modelos nacionalsocialista y fascista. Con todo, insistió
siempre en el carácter exclusivamente «español» de su sistema, y nunca
aceptó el anticristianismo o neopaganismo presentes en aquéllos: casi
constantemente insistió en definir su régimen como «católico». Además, su espíritu ordenado y militar no comulgaba con la movilización
política de las masas propia de tales modelos. Tomando la existencia

del régimen en conjunto, su inspiración ideológica se encuentra principalmente en los escritores monárquicos contrarrevolucionarios de *Acción Española* y en las encíclicas papales desde León XIII.

Así pues, Franco evolucionó desde su aceptación de la democracia liberal al principio y durante el mayor tiempo de la República, a un rechazo frontal a ella. Encontraba la base de su propia legitimidad en su azaroso alzamiento contra una evidente amenaza revolucionaria y contra un Gobierno deslegitimado, hecho a su entender glorioso y de repercusión no sólo española, sino europea, que le hacía acreedor a una gratitud mucho más amplia de la que recibía, sobre todo fuera de España. Ciertamente, de la realidad de la amenaza revolucionaria y la pérdida de legitimidad del Gobierno republicano ningún observador imparcial puede dudar seriamente, y no sólo una gran masa de la población vio justificado el alzamiento, sino también los «padres espirituales de la República» y bastantes antiguos republicanos, de modo más o menos explícito.

El régimen franquista sigue desconcertando a los estudiosos, y creo que está por analizar seriamente y sin prejuicios. A menudo es descrito como una simple dictadura personal, y aunque tuvo mucho de ello, no puede reducirse a tal cosa. Franco siempre actuó como dirigente indiscutible, pero su régimen elaboró un conjunto de leyes a las que, en general, se atuvo sin arbitrariedades, y el dictador aplicó sus prerrogativas con circunspección. Nunca enmendó, por ejemplo, los fallos judiciales. Cabe tomar en consideración a uno de los intelectuales del régimen, Gonzalo Fernández de la Mora, cuando sostiene que, a partir de una dictadura omnímoda, se produjo un proceso de autolimitación de poderes e institucionalización destinado a hacer finalmente innecesario el poder personal.[11]

Dentro del régimen, como comentaremos más adelante, hubo siempre una discrepancia implícita entre quienes lo consideraban la superación definitiva tanto del comunismo como de la democracia liberal y quienes, con más realismo, lo tenían por un recurso necesario, pero pasajero, nacido de una situación excepcional y destinado a dar paso antes o después a otro tipo de normalización política. Con el tiempo, el fracaso de la primera opción iría haciéndose evidente, perdiendo peso sus partidarios, que tampoco disponían de un relevo para el Caudillo.

CAPÍTULO VII

La represión de posguerra

Con razón se ha dicho a menudo que la represión de posguerra fue la mancha más negra del franquismo. Pero apreciar cuán negra fue exige analizarla en su contexto histórico, más bien que ponerla en contraste con exigencias de perfección ética.

Por lo común, las izquierdas consideraron a Franco y a los suyos una camarilla de criminales a quienes reservaban un fin, de haber ganado ellas la contienda, que no diferiría mucho, con toda probabilidad, del muy desdichado de Mussolini. Franco les correspondía con una mentalidad parecida, como hemos podido observar. Prieto lo había pronosticado: «Será una guerra a muerte...»

Así, mientras duró la contienda, pero muy especialmente durante la segunda mitad de 1936, se produjo en las dos retaguardias un terror brutal, de intención casi exterminadora, fenómeno por lo demás frecuente en las guerras ideológicas y expresión del odio acumulado previamente y del derrumbe de la ley. Sobre ese terror se han escrito mil exageraciones, pero hoy podemos hacernos una idea bastante precisa gracias a las investigaciones emprendidas en los años 70 por Ramón Salas Larrazábal y culminadas recientemente por Ángel David Martín Rubio.* El número de víctimas por cada bando asciende a unas 60.000.

* Desde hace casi veinte años numerosos estudioso izquierdistas, normalmente respaldados con dinero público, han emprendido lo que llaman «recuperación de la memoria histórica», tratando de cuantificar provincia a provincia las víctimas de la represión de los nacionales y olvidando las de los «republicanos». En *Los mitos de la*

La intensidad de la represión resulta bastante mayor en la zona frente-populista, pues ella abarcó a algo más de la mitad del país, mientras que la contraria pudo extenderse por todo él. A pesar de las leyendas propagandísticas sobre un terror «popular y espontáneo» en un bando y «planificado desde arriba» en el otro, en las dos zonas tuvo algo de espontáneo pero fue mayoritariamente promovido «desde arriba». Las famosas *checas* del Frente Popular salieron de la dirección de los partidos y del gobierno «republicano».

Además, hubo en el bando revolucionario una clase de terror inexistente en la zona nacional: el ejercido entre los propios partidos de izquierda, y que acarreó la tortura y la muerte a un número desconocido, pero muy sensible, de anarquistas, poumistas, socialistas, republicanos, nacionalistas catalanes y algunos comunistas. Estos últimos fueron quienes más sistematizaron este género de represión o venganza.

Quedaban, por lo tanto, muchas cuentas que saldar al término de la contienda, y los ganadores se apresuraron a saldarlas. La represión franquista de la época está por estudiar seriamente, y la mayoría de los numerosos libros salidos recientemente sobre ella no rebasan el nivel de una propaganda pedestre. A falta de un estudio sólido, hoy cabe sostener, en líneas generales, lo siguiente: durante los primeros meses de la posguerra, hasta enero de 1940, el nuevo régimen mantuvo provisionalmente a unos 270.000 presos (incluyendo comunes) con el propósito de establecer sus responsabilidades, cosa que el propio número hacía imposible y suponía, además, una pesada carga económica para la reconstrucción del país. En mayo de 1940 se habían producido 40.000 sentencias de todo tipo, y quedaban 240.000 presos, la mayoría por juzgar. En junio, un decreto daba libertad condicional a los condenados a seis años o menos, y el 1 de abril de 1941 a los condenados hasta doce años, beneficio extendido en 1942 hasta los catorce. Esta liberalidad indica también hasta qué punto fueron arbitrarias muchas

---

represión y otras obras, Martín Rubio ha expuesto la diversidad y poca consistencia de los criterios empleados en esas tareas, que retrotraen la historiografía al nivel de la propaganda anterior a los trabajos de R. Salas. Más que recuperar la memoria recuperan los rencores ya olvidados por la mayoría de la gente. Varios de esos «historiadores», de acuerdo con tal mentalidad, han hecho llamamientos a aplicar la censura a quienes ponen en cuestión sus peculiares investigaciones.

sentencias. Así salieron a la calle decenas de miles de presos, beneficiándose otros miles con la redención de penas por el trabajo (en principio dos o tres días de pena por cada uno trabajado; en algunos casos, como la construcción del Valle de los Caídos, los días redimidos llegaban a cinco por uno). Entre indultos y sobreseimientos, para 1944 el número de presos había bajado a 54.000, de los que quizás unos 20.000 serían comunes. La cifra iría disminuyendo hasta 31.000 en 1950.[1]

La disminución de presos se debió también a los numerosos fusilamientos. Los tribunales militares pronunciaron unas 50.000 penas de muerte, cumpliéndose en torno a la mitad de ellas.* Hubo, además, un número indeterminado, pero muy inferior, de asesinatos, que el nuevo régimen cortó en seguida. Los juicios militares tuvieron gran dureza, sobre todo algunos conducidos por oficiales que no habían estado en el frente y parecían deseosos de causar a destiempo bajas fáciles al enemigo. En esas condiciones es seguro que en muchos casos fueron ejecutados inocentes y perdonados individuos mezclados en crímenes. ¿Cuál fue la proporción? No lo sabemos, y quizá resulte imposible averiguarlo. Pero no puede admitirse la pretensión, puesta hoy tan en boga por una historiografía mendaz, de incluir por igual, bajo el rótulo de víctimas, a inocentes y a asesinos brutales. En alguna ocasión he explicado el caso mediante los ejemplos de Peiró y de García Atadell. El primero, ministro anarquista opuesto al terror, salvó a numerosas personas, pese a lo cual fue ejecutado, habiendo pedido clemencia para él, en vano, muchos clérigos, militares y particulares; García Atadell, un chequista del PSOE autor de innumerables torturas, asesinatos y robos, y por quien nadie, obviamente, intercedió, corrió la misma suerte. Entre los perdonados podríamos citar a Cipriano Mera, uno de los más descollantes jefes anarquistas, conocido por su incorruptibilidad moral. Prueba de los odios invencibles entre las izquierdas, cuando fue condenado a muerte, los comunistas de la prisión de Porlier lo celebraron con una chocolatada. Probablemente les decepcionó la conmutación

---

* El aserto de que Franco firmaba las penas de muerte, añadiéndoles recomendaciones de publicidad o ejecución por garrote, parece pertenecer al reino de la fábula. Nunca se han presentado los documentos demostrativos, y tendrían que abundar. En realidad, los jueces firmaban las sentencias, y el Consejo de Ministros se limitaba a dar el enterado. Franco sólo firmaba los indultos, si los consideraba motivados.

posterior. Como tantos otros condenados a muerte, Mera estaba en libertad antes de los seis años.

Una paradoja de esta represión fue la utilización del grave cargo de «rebelión militar» contra numerosos acusados, pues quienes claramente se habían rebelado habían sido Franco y los suyos. Sin embargo, la pretensión de que sus contrarios habían hecho honor a su juramento de lealtad a la República carece de valor. Desde luego, en octubre de 1934 la legalidad republicana había recibido un golpe casi fatal, y a partir de febrero de 1936 prácticamente se había disuelto entre el ambiente revolucionario y la conculcación permanente de la Constitución por los gobiernos izquierdistas. Se había impuesto un despotismo demagógico y violento, y la lealtad al mismo difícilmente puede contar como una virtud, al menos como una virtud democrática.

A veces se ha contrastado la represión franquista con la italiana y la francesa de después de la guerra, señalando el número relativamente pequeño de ejecuciones en estas últimas. Tal contraste no es correcto. En esos países, al revés que en España, casi toda la represión se condujo por medio del asesinato puro y simple, sin juicio, y en ella cayeron en torno a las 10.000 personas en cada país, posiblemente bastantes más. El proceso judicial, por pocas garantías que ofrezca, siempre será preferible al crimen en la oscuridad. Pero aun teniendo en cuenta esta diferencia cualitativa, cabe objetar que el número de muertos en España sigue siendo muy superior, sobre todo si lo relacionamos con la mucho más numerosa población de Francia e Italia. Esta relación, sin embargo, sigue sin ser acertada. La proporción debe establecerse más bien con la intensidad de las respectivas contiendas previas. En Italia y en Francia, la guerra mundial se dobló, en el último año y medio, en sendas guerras civiles, pero éstas no alcanzaron ni de lejos la virulencia y duración de la española, ni tuvieron la misma amplitud los odios y cuentas pendientes engendrados por el conflicto. Por esa razón no debiera esperarse en esos países una intensidad tal en las venganzas, que comparativamente parece superior a la del caso español.

En cuanto al trato a los prisioneros, aun siendo muy severo y sometido a las penurias de posguerra generales en el país, no guarda la menor relación con las aplicadas entre sí por los contendientes en la segunda guerra mundial. El número de muertos en las prisiones españolas, por enfermedades carenciales en su mayoría, pudo estar entre los 10.000 y los 20.000. Los campos de concentración nazis y soviéticos se cobraron la vida de millones de prisioneros de guerra. Menos conocido es el caso de los campos useños y franceses, donde, según la investigación del canadiense J. Bacque *Other losses*, habrían sido dejados perecer, de modo deliberado, por desnutrición y enfermedades derivadas, alrededor de un millón de prisioneros alemanes: más del triple de los muertos por cualquier causa durante la guerra de España y su posguerra. La cifra cuesta creerla, pero los datos ofrecidos por Bacque parecen sólidos, y a falta de otras investigaciones podemos darlos hoy por aproximadamente válidos.

Probablemente la filosofía, por así llamarla, con que el franquismo abordó el problema proviene de la experiencia revolucionaria de octubre del 34. En aquella ocasión diversos políticos como el derechista Calvo Sotelo o el republicano moderado Melquíades Álvarez recordaron el ejemplo de la Comuna de París, liquidada por la República francesa con decenas de miles de fusilamientos sin proceso. Alegaron dichos políticos que aquella represión salvaje había salvado a Francia y garantizado la paz social para largos años. Cambó, a su turno, había denunciado las constantes amnistías e indultos como una causa de las epilepsias políticas españolas, al estar convencidos los revoltosos de que pronto saldrían de la cárcel aureolados de heroísmo. Franco participaba con toda seguridad de tales criterios. No obstante, eligió el método de la represión judicial y no del asesinato indiscriminado. Su incomparable crueldad queda así muy relativizada, tanto si la referimos a la de los dirigentes comunistas o nacionalsocialistas como, incluso, a la de los demócratas.

Represión, pues, durísima, pero ajena a los bulos hechos correr en buen número de artículos de prensa y presuntos libros de historia, como el de que todos los soldados del ejército izquierdista pasaron por consejos de guerra, o los resumidos en frases de este jaez: «Las declaraciones de Franco y sus generales nunca disimularon su propósito de exterminio», «Los enemigos sólo gozaban de un destino seguro: el exilio o la muerte», «Franco convirtió Madrid en un gran presidio», etc.*

---

* Pueden leerse en el libro de varios autores, coordinado por Santos Juliá, *Víctimas de la guerra*, que pretende ofrecer nada menos que un balance definitivo y «reconciliador» de las represiones.

Ni de lejos existió exterminio. La inmensa mayoría de los soldados movilizados por el Frente Popular (1,5 millones de hombres), de quienes lo votaron en 1936 (4,6 millones) o vivieron en su zona (14 millones) ni fueron fusilados ni se exiliaron. Se reintegraron pronto en la sociedad y rehicieron sus vidas, compartiendo las dificultades generales de aquellos tiempos.

Aspecto también muy tratado por la propaganda ha sido el de las depuraciones de funcionarios. Tales depuraciones ocurren siempre en los cambios de régimen, y la República las practicó desde el principio, incluso contra no funcionarios, pues excluyó despóticamente de la enseñanza a miles de profesores religiosos. Luego, el Frente Popular llegado al poder en febrero del 36 inició un nuevo proceso, más sistemático, de expulsión de funcionarios y proscripción de la enseñanza católica. Durante la guerra, esas acciones adquirieron su máximo nivel en los dos bandos. Y el vencedor, por supuesto, la aplicó como en los demás países europeos. Comportamiento nada ilógico, por lo demás, máxime en guerras tan ideologizadas. Ningún régimen desea tener su aparato estatal minado por miles de funcionarios desafectos.

La represión de posguerra, por lo tanto, debemos enfocarla no como el crimen incomparable y arbitrario perpetrado por un tirano sediento de sangre, según normalmente lo enfoca la propaganda, sino como una política sin duda brutal, pero no más, sino menos, que otras aplicadas en diversos países europeos de la época. Y menos también, con toda probabilidad, que la que hubieran aplicado sus adversarios de haber ganado. Como es sabido, entre las izquierdas del Frente Popular se produjo una represión feroz, y si entre ellas mismas llegaban a tales violencias, cabe imaginar razonablemente lo que hubieran hecho con Franco y los suyos de haberlos tenido en sus manos. No por casualidad quienes denuncian de modo tan enfático la represión franquista suelen identificarse moral y políticamente con las izquierdas derrotadas.

Hay un aspecto de esta represión casi siempre omitido, pero muy merecedor de atención. En realidad, los nacionales no debieron de haber tenido muchas posibilidades de vengarse, porque la derrota izquierdista se produjo lentamente y por partes, dejando a los líderes

en África.

Con su revolucionario hermano Ramón: «La evolución razonada de las ideas y los pueblos, democratizándo dentro de la ley...»

Alcalá-Zamora: «El apellido no se extiende a la conversación de este hombre interesante y simpático.»

Tras la liberación del Alcázar de Toledo. ¿Perdió Madrid por ello?

El Caudillo ahogándose
entre la multitud de sus
víctimas.

Amistad, pero no acuerdo.
Hitler no arrastrará
a Franco a su destino.

arece fascista, pero...

Con Mussolini: el dictador fascista y el seudofascista. No podía imaginar el primero la cercanía de su dramático fin.

El triunfo tras el bloqueo. El embajador useño Stanton Griffis presenta sus credenciales en marzo de 1951 en el salón del trono del Palacio Real de Madrid.

Hasta el Concilio Vaticano II, la Iglesia sería uno de los apoyos más firmes del Caudillo. Después, buena parte de la jerarquía eclesiástica ampararía a la oposición.

No todos los intelectuales y artistas le rechazaban. Con Azorín, superviviente de la Generación del 98, y con el pintor catalán Dalí.

Una reconciliación propuesta bajo el signo de la cruz y, por ello, inaceptable para muchos.

Al parecer, fue un marino frustrado.

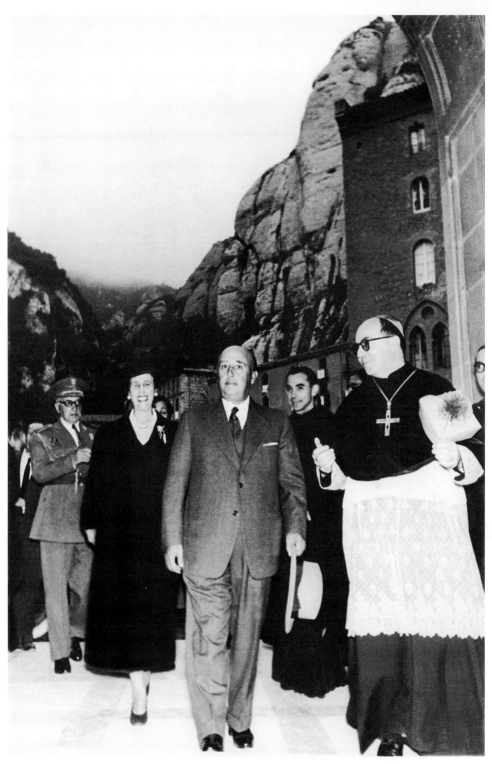

En Montserrat. El clero nacionalista catalán le daría algún pequeño disgusto.

Inauguración de un pantano. La red de pantanos fue una de las obras más estimadas por el dictador y suscitó abundantes burlas en la oposición.

El desarrollismo: mensaje de fin de año: «total, nadie lo escucha...».

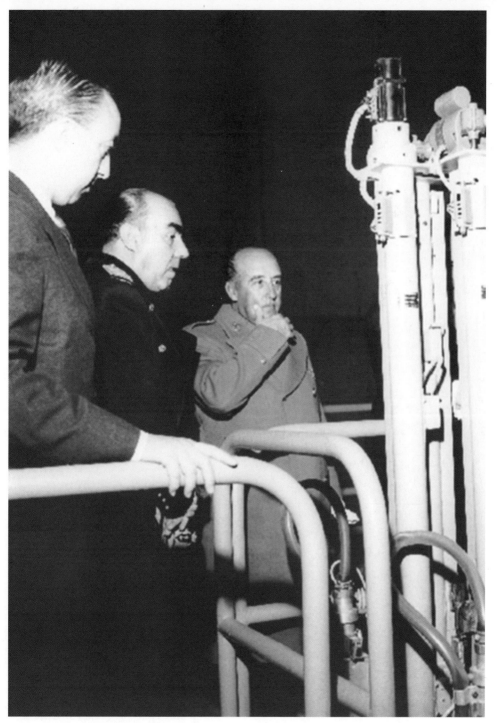

El desarrollismo: visita al reactor nuclear del centro «Juan Vigón» junto a Carrero Blanco.

Recepciones en poblaciones de la costa
vasca. En verano solía celebrar en
San Sebastián sesiones de gobierno.
Le vemos con autoridades provinciales
guipuzcoanas (arriba), en la cubierta
del *Azor* con un equipo donostiarra de las
regatas traineras (derecha) y presidiendo
un desfile en Bilbao (abajo).

Dos momentos con el futuro rey de España.

Con Nixon, con Adenauer, con De Gaulle, con Kissinger. Franco no estuvo tan internacionalmente aislado como se dice. Salvo por México, su régimen fue reconocido por todos los países, excepto por los que él no quiso reconocer, como Rusia o Israel.

tiempo sobrado para preparar la evacuación o fuga de sus seguidores comprometidos en el terror previo contra la derecha. Éstos, como los mismos dirigentes, no tenían razones para esperar mucha clemencia de sus resentidos enemigos. Y sin embargo los dirigentes no se molestaron en tomar la menor previsión al respecto, dando así a los nacionales la oportunidad de ajustar cuentas estrictas a los perdedores.

La primera gran derrota del Frente Popular ocurrió en 1937, en dos etapas. Al caer Bilbao, izquierdistas y separatistas pudieron refugiarse ordenadamente en Santander, pero allí sufrieron su primer desastre masivo, a causa de la traición del PNV. Huyeron por aire o por mar los jefes, pero casi todos los demás cayeron en poder del adversario. Algunos jefes del PNV permanecieron en España, esperando no ser demasiado castigados, pues habían rendido a Franco servicios tan inestimables como la entrega intacta de la industria pesada de Bilbao —que volvió a trabajar a plena producción para el esfuerzo bélico de los nacionales— o la venta de sus aliados de izquierda. La represión sobre el PNV resultó harto más severa de lo esperado, aunque muy inferior a la sufrida por las izquierdas, y hubo comparativamente pocos fusilamientos. Ajuriaguerra, el peneuvista más destacado que quedó en Santander, recibió pena de muerte, seguida de conmutación a cadena perpetua, y a los seis años salía en libertad.

Peor ocurrió en Gijón, último punto de resistencia en el norte. De nuevo los dirigentes huyeron, en avión o en un torpedero dispuesto al efecto, mientras miles de los suyos, abandonados a su suerte, se agolpaban desesperados en los muelles, tratando de abordar a toda costa cualquier embarcación. Algunos lo lograron, otros escaparon a los montes, pero la inmensa mayoría hubo de entregarse.

La experiencia de Gijón no sirvió de nada, y un año largo después el caso se repetía en Cataluña. Fracasados los llamamientos a convertir Barcelona en un segundo Madrid que frenase a los nacionales, la desidia de las autoridades más la creación intencionada de pánico por la propaganda empujaron a unas 400.000 personas a una huida en masa a Francia, penosísima y absolutamente caótica. El socialista Zugazagoitia describe:

> Ni una queja. Ni un grito. Sólo el ruido sordo, agobiante, de la pisada colectiva de la muchedumbre. Todos los sufrimientos sofoca-

dos. Todas las miradas sin brillo. Y el silencio. ¡Qué silencio! Dentro
de él, la amenaza, de un momento a otro, de la más terrible acusación contra nuestros errores, nuestros orgullos, nuestras vanidades
que (los) echaban fuera de la patria (...) «Era difícil defenderse de tanta mirada suplicante, de tanto rostro desconocido que pedía, sin palabras, mucho menos de lo que le habíamos quitado, con acciones u
omisiones, los jugadores de la política. Nunca me he sentido tan te-
rriblemente acusado.[2]

Zugazagoitia llegó a Francia y escribió un interesante relato de la
guerra. Sus frases citadas revelan que comprendía bastante bien cómo
habían creado la catástrofe los demagogos «jugadores de la política». Él
mismo había promovido la guerra civil en el 34 y desempeñado un
puesto tan comprometido como la cartera de Gobernación con Negrín.
Los nazis lo capturaron al invadir Francia y lo entregaron a España,
donde fue juzgado con severidad implacable y fusilado.

En Cataluña, la mayoría de los izquierdistas y secesionistas pudo
escapar, pero no gracias a una ordenada previsión de sus líderes, sino a
la cercanía de la frontera. Y la tragedia tampoco volvió más previsores
a los jefes izquierdistas: al caer la zona centro, dos meses después, la ca-
lamidad sería total... salvo, una vez más, para ellos.

Sin embargo, no sería justo achacar a los líderes del Frente Popular una imprevisión generalizada. En algunos aspectos mostraron, por
el contrario, notable perspicacia para adelantarse a los acontecimientos.
Pues no sólo aseguraron, en cualquier caso, su propia fuga, sino que
venían preparándola, especialmente el círculo de Negrín, prácticamente desde que las fuerzas de Franco se aproximaban a Madrid en el otoño de 1936. Lo explica el mismo Negrín en carta a Prieto:

> Por fortuna, la decisión sobre esta materia estuvo en manos de
> hombres no impulsivos, precavidos, además, contra la improvisación
> incompetente.

La materia no era otra que la acumulación de medios para aten-
der a los jefes en caso de tener que exiliarse. La correspondencia entre Prieto y Negrín al respecto ilumina un aspecto crucial de la guerra civil.[3]

Negrín sigue:

Así, con cautela y rapidez, sin precipitaciones ni atolondramientos, se ha podido salvar lo que se ha salvado.

Lo salvado consistió en una masa de divisas y valores diversos, metales preciosos, obras de arte, joyas, libros antiguos, etc. Y ciertamente se había hecho con «previsión y diligencia». En octubre de 1936, el Gobierno izquierdista había obligado a los particulares, por decreto y con amenazas, a entregar su oro y divisas al Banco de España, prometiendo garantizar su propiedad. El 6 de noviembre el Gobierno mandó descerrajar las cajas de seguridad y depósitos de alhajas de los bancos. Y a lo largo de 1937 y 1938 insistió, con severas advertencias, en la obligación de entregar al Banco de España los valores que quedasen en manos privadas «con el fin de salvaguardar los intereses de los titulares». Llegaron hasta desvalijar los montes de piedad, expoliando los objetos de valor depositados por las gentes más necesitadas (recuerdos familiares, alianzas de boda, etc.).[4]

Además fueron saqueados incontables domicilios particulares, iglesias y monasterios y el patrimonio español. El caso del Museo Arqueológico, donde políticos izquierdistas robaron a punta de pistola las colecciones de monedas antiguas de oro y plata es sólo uno entre muchos. Negrín llegó a exigir a Azaña, ya hacia el final de la guerra, la firma de un decreto enajenando a una sociedad anónima todos los bienes muebles e inmuebles del Estado español en el extranjero. Azaña, explica Rivas Cherif, vio en la proposición un acto de bandidaje, como sin duda lo era, y rehusó firmar. Estos hechos, aquí resumidos en extremo, suelen ser ocultados o explicados justamente al revés (el «salvamento» de los cuadros del Museo del Prado, etc.), y no los conocemos por propaganda de la derecha, sino por testimonios de la izquierda, como he expuesto en *Los mitos de la guerra civil*.

Las cartas cruzadas entre Negrín y Prieto obedecían a la disputa por una porción del botín, llevado a México en el yate *Vita*, episodio revelador y mucho menos conocido de lo que merece. Negrín había enviado el tesoro del *Vita* a México, y tanto Prieto, rival suyo en el PSOE, como el PNV, habían intentado apoderarse de él. Prieto resultó el más espabilado y se apropió del barco y de su carga, en combinación con el presidente mexicano Cárdenas, conocido por su corrupción.

En fin, concluía Negrín:

> Nunca se ha visto que un Gobierno o su residuo, después de una derrota, facilite a sus partidarios, como lo hacemos, medios y ayuda que ningún Estado otorga a sus ciudadanos después de una victoria.

Lo cual era cierto si por «partidarios» se entiende a los jefes, pues los exiliados de a pie recibieron poco o nada. Pocos dirigentes —Alcalá-Zamora o Cipriano Mera, entre ellos— rechazaron la ayuda procedente de aquel robo gigantesco a la nación y a los particulares.[5]

Y, por supuesto, lo pasaron mucho peor, como hemos anotado, los izquierdistas y los separatistas, a quienes la conducta de sus dirigentes había dejado completamente desamparados, atrapados como en un cepo.

En suma, está claro que la despiadada persecución de posguerra constituye la peor mancha del régimen franquista, como observábamos al principio. También lo está que no fue él quien hundió la legalidad republicana, causa de aquel terror, y que sus represiones, medida por las habituales en el siglo XX y las que presenciamos ahora mismo en diversas partes del mundo, distó de constituir algo excepcional o siquiera sobresaliente. Por desgracia.

CAPÍTULO VIII

Franco ante la guerra mundial

La posición de Franco durante la guerra mundial ha sido otro de los puntos clave en la defensa y el ataque a la significación histórica del personaje. Como casi nadie ignora, Franco mantuvo a España al margen de la gigantesca conflagración, pero, según sus adversarios, lo hizo por razones espurias y deseando en realidad participar en ella. Como escribe el estudioso Manuel Ros,

> el mito de la prudente neutralidad de Franco durante la segunda guerra mundial hace tiempo que necesitaba ser definitivamente enterrado.[1]

No tengo la impresión de que lo hayan enterrado Ros ni tantos otros (Viñas, Tusell, Blanco Escolá, Preston, etc.), empeñados en realizar tal proeza.

Conviene examinar, de nuevo, la evolución de los sucesos para captar la dificultad de las circunstancias traídas a España por la guerra mundial. Como ya quedó indicado, el régimen de Franco había mantenido una buena situación económica en su zona, pero en sólo los tres meses del invierno de 1939 cayeron en su poder Cataluña y la región centro-sur-este, que representaban un tercio del territorio y de la población del país, con la economía completamente desarticulada, donde el hambre y las enfermedades carenciales hacían estragos. La carga de reorganizar aquellas regiones sin la menor ayuda externa iba a ser muy pesada y a repercutir sobre el resto del país, y ello en medio de una casi total carencia de reservas financieras y abundancia de deudas con el extranjero. Para colmo, el estallido de la guerra mundial sólo cinco meses después, en septiembre, cambió dramáticamente las perspectivas de una reconstrucción de por sí bien plagada de obstáculos.

Franco había contemplado con la mayor preocupación un posible conflicto entre las democracias y las potencias fascistas, tanto por su repercusión inevitable en España como porque podía acabar con destrucciones y miseria parecidas a las de la primera guerra mundial, de las cuales la única beneficiaria, sin duda, sería su enemigo jurado, el estalinismo. Ya en ocasión de la crisis de Munich, un año antes, había declarado la neutralidad española en la eventualidad de tal conflicto, y al conocer la invasión de Polonia por Hitler hizo un llamamiento:

> Con la autoridad que me da el haber sufrido durante años el peso de una guerra para la liberación de mi Patria, me dirijo a las naciones en cuyas manos se encuentra el desencadenamiento de una catástrofe sin antecedentes en la historia para que eviten a los pueblos los dolores y tragedias que a los españoles alcanzaron (...) horrores que serían centuplicados en una nueva guerra.

Pedía a los contrincantes la localización y limitación de la lucha, inquieto por su posible extensión al Mediterráneo y por la expansión soviética en el este europeo.[2]

Indudablemente le sentó muy mal la invasión de un país católico como Polonia y su reparto con la URSS. Al respecto llegó a comentar que Hitler estaba promoviendo la expansión del comunismo. En la práctica así era: gracias al sorpresivo tratado entre Hitler y Stalin, éste podría ocupar la mitad de Polonia, y luego los países bálticos, y chantajear a Rumania y a Finlandia —con la que pronto entraría en guerra—, arrebatándoles territorios. Por lo tanto Franco decidió:

> Constando oficialmente el estado de guerra que, por desgracia, existe entre Inglaterra, Francia y Polonia de un lado, y Alemania de otro, ordeno por el presente decreto la más estricta neutralidad a los súbditos españoles, con arreglo a las leyes vigentes y a los principios del Derecho Público internacional.

Además, temía que los españoles exiliados, unos 140.000, la mayoría en Francia y en edad de combatir, pudieran reorganizarse militarmente bajo el patrocinio de París, que ya se aplicaba a reclutar a muchos de ellos para su propio ejército. En los meses siguientes, Franco pensó crear un bloque de países neutrales, encabezado por Mussolini y con predominio de regímenes autoritarios como el suyo y el portugués, para presionar en pro de un pronto final negociado de las hostilidades. A su vez, tanto Alemania como Gran Bretaña miraban como una ventaja la neutralidad española, cada una por razones distintas.[3]

Ese panorama iba a variar enormemente antes de un año. En abril de 1940, Alemania, tomando la delantera a proyectos similares ingleses, ocupaba en cuestión de días Dinamarca y Noruega y se aseguraba una neutralidad muy benévola de Suecia. Para círculos influyentes de Madrid empezaba a resultar tentador ponerse al lado de Alemania, aunque no para Franco, que insistía a los italianos en que difiriesen en lo posible su eventual entrada en guerra. En mayo, los alemanes desencadenaron su ofensiva sobre Holanda, conquistándola en cuatro días, y prosiguieron luego sobre Bélgica y Francia, a las que derrotaron en cuestión de semanas, terminando de ocupar Francia a mediados de junio. En campañas brevísimas, la Wehrmacht había barrido, literalmente, a los ejércitos polaco, danés, noruego, holandés, belga y, sobre todo, al francés y al británico. Tal poder demostraban las nuevas técnicas bélicas, denominadas guerras relámpago (no ensayadas en España, salvo algunos intentos infructuosos por parte soviética). Todo el mundo estaba boquiabierto, desde luego también Franco, que se había formado militarmente en la escuela francesa. Era como si en la guerra civil él, después de haber logrado el equilibrio de fuerzas tras ocupar la franja cantábrica, hubiera arrollado a los ejércitos izquierdistas en tres o cuatro semanas.

La situación estratégica resultante podía definirse así en cuanto a España: el país, por su simple posición geográfica, poseía un enorme valor para Londres, pues se encontraba sobre varias de las más vitales líneas de abastecimiento británicas. Para Alemania, en cambio, ese valor menguaba mientras la suerte del conflicto se dilucidara más al norte. En cambio, la participación del ejército español, anticuado y limitado por el empobrecimiento del país, y poco apto para moverse fuera de sus fronteras, no interesaba especialmente a ninguno de los contendientes.

Pero cuando el Gobierno inglés, dirigido por Churchill, rechazó cualquier armisticio y Alemania vio comprometida su intención de invadir Gran Bretaña, Hitler empezó a mostrar el interés más agudo por la cooperación de España, en especial con vistas a ocupar Gibraltar y cerrar el Mediterráneo a los ingleses. Tal operación habría causado a Londres un daño incalculable, forzándole quizás a negociar y aceptar el dominio alemán sobre la Europa continental. Por las mismas razones, Londres hubo de dedicar los máximos esfuerzos a preservar la neutralidad hispana: hizo solemnes promesas de no agresión, insinuó una posible devolución de Gibraltar después de la guerra y utilizó su dominio del mar para hacer presente a Madrid, en todo momento, la capacidad británica para estrangular la economía española.*[4]

Con todo, en junio de 1940 no sólo el ejército alemán daba la impresión de ser imbatible, sino que, además, Mussolini entraba en guerra el día 10 a su lado. Y el día 12 el Gobierno español pasaba de la neutralidad a la «no beligerancia», interpretada a menudo como paso hacia una prevista intervención bélica. Había razones para pensar algo semejante: siendo la Wehrmacht invencible y el Gobierno alemán perfectamente capaz de invadir países neutrales, como había demostrado con Dinamarca, Noruega, Holanda o Bélgica, nada la detendría en los Pirineos si le convenía. Por otro lado, Franco tenía una deuda no sólo económica, sino también moral y política, con Alemania e Italia, y razones para creer en la hostilidad de Francia e Inglaterra, así como de Usa. Mostrar ingratitud, como cuando la crisis de Munich, a un Hitler en el apogeo de su poderío no sólo resultaba inconveniente, sino sumamente peligroso. Por el contrario, participar en la previsible victoria común daría a España la ventaja de los ganadores, incluyendo una probable expansión por África.

En los siguientes meses, Berlín incrementó sus presiones para que España declarase la guerra a Gran Bretaña o al menos dejase pasar tropas alemanas para capturar Gibraltar (la famosa Operación Félix). La prensa española, controlada oficialmente, también clamaba en su ma-

---

* Y, según informes no bien verificados, sobornó con grandes sumas a generales franquistas, en especial a Aranda, héroe de la resistencia de Oviedo. Aranda, no obstante, vivió siempre con medios modestos, lo que arroja dudas sobre la fiabilidad de tales informes.

yoría por la guerra, pero Franco contestó con dilaciones a los requerimientos cada vez más imperiosos y urgentes del Führer. Además, Carrero Blanco, jefe de operaciones de la Armada, muy católico y, por lo tanto, poco pronazi, indicaba en sus análisis la posibilidad de que Alemania no triunfase y las pésimas condiciones de España para meterse en tal aventura. Llegaron también informes de que la batalla de Inglaterra, básicamente un duelo entre las aviaciones británica y germana y sus capacidades de bombardeo, no marchaba al gusto de Berlín. Franco expresaba oficialmente deseos de entrar en guerra, pero poniendo condiciones de difícil satisfacción. En septiembre, Hitler dio máxima prioridad a la Operación Félix, y por lo tanto acentuó su presión sobre Madrid.[5]

Entretanto, el dogal británico se hacía sentir dolorosamente en el abastecimiento de productos indispensables. El pan hubo de ser drásticamente racionado, y la escasez de aceites apropiados para fabricar jabones empeoró las condiciones higiénicas de la población, facilitando la difusión de una epidemia de tifus. Inglaterra estrechaba especialmente el suministro de carburantes, llevando a la industria española casi a la parálisis. Mientras Berlín endurecía sus presiones, Franco intentó concluir acuerdos comerciales con Londres que dieran un respiro a la economía, y en alguna medida lo consiguió. También firmó con Portugal un protocolo de contenido neutralista.

En septiembre, Serrano Suñer, ministro de Asuntos Exteriores, realizó su célebre viaje a Berlín, donde hubo de lidiar con las exigencias intimidatorias de Hitler, que sólo ofrecía a España Gibraltar (aunque los alemanes pensaban, en su turno, que los españoles pedían mucho sin ofrecer nada). No hubo acuerdo, y el intérprete alemán Paul Schmidt observa:

> Esta entrevista enfrió por primera vez la amistad hasta entonces tan calurosa entre Hitler y Franco.[6]

El dictador nazi pensó resolver la cuestión por la vía más alta: un encuentro directo entre él y el Caudillo. Se prestó, curiosamente, a que el mismo tuviera lugar en Hendaya, en la frontera hispano-francesa, y no en Alemania. En las semanas previas al acontecimiento se multiplicaron los presagios de una próxima entrada de España en guerra: cambio de gobierno con pérdida de influencia de los anglófilos y aparente predominio absoluto de la Falange, intensificación de la germanofilia en la prensa, promesas, aunque vagas, de solidaridad ideológica, visita rápida de Himmler, una de las máximas personalidades del nazismo, a España, etc. Pese al bloqueo marítimo y las más que probables agresiones británicas contra Canarias y otros puntos, la entrada en el conflicto sería completamente lógica si Franco creía en una victoria germana, aunque ésta resultara menos cercana de lo esperado. Es más, esa decisión debería precipitar los acontecimientos a favor de Alemania.

El 23 de octubre tuvo lugar la histórica entrevista entre Franco y Hitler. De ella queda un informe alemán muy incompleto, las notas, mucho más completas, del intérprete español, barón de las Torres, los recuerdos de Serrano Suñer y los del intérprete alemán Paul Schmidt, que asistió al encuentro en segundo plano (el intérprete elegido por Hitler se llamaba Gross). Según los testimonios, Hitler planteó sus demandas en tono imperativo, cada vez más irritado, y Franco permaneció tranquilo, afirmando su decisión de entrar en guerra... pero no en las condiciones ofrecidas por el Führer. El barón concluye:

> Mi impresión, como español, no puede ser mejor, pues conozco a los alemanes y sé sus procedimientos, y teniendo en cuenta la fuerza que tienen hoy en día dominando Europa entera, la actitud del Caudillo ni ha podido ser más viril ni más patriótica ni más realista, pues se mantuvo firme ante las presiones, justificadas o no, del Führer y ha pasado por alto con la mayor dignidad los malos modos, al no ver satisfechos sus deseos el Führer-canciller.[7]

La versión de Schmidt, aunque más vaga, respalda en lo esencial a la del barón. Como el tren de Franco se retrasó, pudo oír unos comentarios entre Ribbentrop y Hitler sobre la dificultad de comprometerse a entregar a España posesiones francesas en África. Cuando la negociación empezó...

> ... al punto noté que Franco, como negociador prudente, no quería comprometerse a nada fijo. Al principio Hitler pintó la situación de Alemania con los colores más brillantes (...). Cayó la palabra Gibraltar. Hitler dijo que si los ingleses lo perdiesen también po-

drían ser excluidos del Mediterráneo y de África (...) [y le invitó] a entrar en la guerra para enero de 1941 (...) Ofreció a España Gibraltar y, de una manera algo más vaga, también otros territorios coloniales en África.

Franco, al principio, no dijo nada. Arrellanado en su butaca, su rostro impenetrable no me permitía adivinar si esta proposición le sorprendía o solamente reflexionaba (...) Entonces hizo una maniobra de distracción (...) Dijo que el abastecimiento de víveres en España era malo (...) Preguntó con expresión atenta si Alemania le podía abastecer. (...) También necesitaba armamento moderno (...) Añadió que España debía defender una larga línea de costas contra los ataques de la flota inglesa. Afirmó también que carecía de artillería antiaérea. ¿Cómo podría España defenderse contra la posibilidad de que le quisieran quitar las islas Canarias? (...) Consideró incompatible con el orgullo nacional español el aceptar soldados extranjeros para conquistar Gibraltar (...) Para mí, profano en temas militares, fue muy interesante oír la observación de Franco, en respuesta a la declaración de Hitler de que unidades acorazadas, con el apoyo de Gibraltar como puente, podrían limpiar de ingleses toda África.

—Hasta la orilla del desierto, es posible —dijo Franco—, pero el África central quedará protegida por el cinturón de arena del desierto (...), lo mismo que una isla por el mar abierto. Esto está para mí completamente claro, como antiguo combatiente en África.

También enfrió un tanto las esperanzas de Hitler (...) de victoria sobre Gran Bretaña. Según Franco, posiblemente Gran Bretaña podría llegar a ser conquistada, pero su Gobierno, con la flota, continuaría la guerra desde Canadá, apoyado por los norteamericanos.

Mientras Franco exponía su punto de vista con voz tranquila, Hitler se iba mostrando cada vez más inquieto. Se percibía claramente que la marcha de la conversación le ponía nervioso. En una ocasión, incluso, se levantó y declaró que no tenía sentido alguno continuar hablando; pero inmediatamente volvió a sentarse y renovó sus esfuerzos para hacer que Franco cambiase de opinión. Éste, por último, se mostró dispuesto a firmar un acuerdo, pero con tales condiciones previas en cuanto a los abastecimientos y armamentos, como respecto a la fecha de una intervención activa, que dicho convenio no era más que una fachada tras la cual no quedaba nada.*[8]

Tampoco convenció al Caudillo la promesa de ofrecerle territorios franceses, compensando a Francia con colonias inglesas. Según el testimonio del conde Ciano, segundo de Mussolini, Hitler se quejó luego de que las demandas españolas para entrar en guerra eran «demasiado altas», y afirmó también que prefería que le sacaran tres o cuatro muelas antes que volver a negociar con Franco.[9] Las negociaciones de Hendaya, señala Schmidt, «significaron el final de la relación amistosa entre Hitler y Franco».

El 6 de febrero Hitler insistió en una larga carta recordando al Caudillo la ayuda prestada durante la guerra civil, y afirmando que sus enemigos jamás le perdonarían la victoria en ella.

> Solamente en caso de nuestra victoria podrá mantenerse el actual régimen. Pero si Alemania e Italia perdieran la guerra, también quedaría excluido cualquier porvenir para una España realmente nacional e independiente.

Le advertía sobre el coste estratégico de los meses perdidos y le tentaba con promesas de entregas de suministros.

> En tiempos tan difíciles más puede salvar a los pueblos un corazón valeroso que una precaución en apariencia inteligente.[10]

Franco permaneció inconmovible y siguió dando largas, eso sí, bien razonadas.

El asunto parece bastante sencillo. Franco no estaba seguro de la victoria hitleriana y no quería comprometer a España en la contienda.

---

* Con su habitual arbitrariedad, Preston descarta el testimonio de Las Torres porque contraría sus prejuicios, pero la coincidencia básica de dicho testimonio con los de Schmidt y Serrano Súñer lo hace fidedigno. El autor inglés pretende que Hitler no quería meter a España en la guerra, sino sólo ocupar Gibraltar. Éste era su objetivo prioritario, ciertamente, pero suponía el abandono de la neutralidad española. Suecia había salvaguardado su neutralidad pese a permitir el paso de tropas alemanas contra Noruega, pero España, desde luego, habría tenido que entrar en guerra.

De estar seguro, como pretenden algunos estudiosos, habría entrado en cualesquiera condiciones, pues una negativa habría traído las peores consecuencias para él. De hecho, la amenaza de una invasión alemana por los Pirineos estuvo cerca de materializarse en los meses siguientes, hasta que la atención de Berlín se orientó a la preparación de la descomunal ofensiva sobre Rusia, comenzada a finales de junio. Ello salvó a Franco. Y, de paso, Gran Bretaña se libró de un desastre que pudo haber condenado sus esfuerzos bélicos en el norte de África, con efectos impredecibles sobre el curso de la guerra.

Ello no quiere decir que Franco sintiera amistad por Churchill o enemistad por Hitler. Prefería la victoria del segundo, y ayudó y siguió ayudando a ella de muchos modos, si bien todos secundarios: vendiéndole volframio y otros productos, facilitando el avituallamiento de sus submarinos y las operaciones de espionaje contra los aliados, y favoreciendo en la prensa la propaganda germana. Pero no pensaba embarcar a España en una aventura incierta, y menos en calidad de satélite. Su política, basada exclusivamente en su visión de los intereses españoles, iba a beneficiar de modo extraordinario a los aliados mucho más que a Alemania y, desde luego, libró a España de una auténtica pesadilla. Tiene algo de pueril la interminable especulación sobre sus intenciones cuando tan claros son los hechos.

Por el contrario, cuando Alemania atacó por fin a la URSS, Franco promovió la cooperación bélica con la Wehrmacht sin abandonar oficialmente su posición de no beligerancia: envió allí, para combatir a Stalin, la famosa División Azul, en la que participarían cerca de 50.000 hombres en relevos, casi todos voluntarios, hasta la disolución de la unidad a finales de 1943. Obviamente se sintió mucho más justificado y a gusto cuando Berlín rompió el pacto Germano-Soviético, que él siempre había mirado como una extraña aberración. El envío de la división no dejaba de representar un riesgo, pues Gran Bretaña, y luego Usa, aliados oficiales de la URSS, podían interpretarlo como una agresión a todos ellos y anular la neutralidad española. No obraron así debido al beneficio que extraían de dicha neutralidad, muy superior al que obtenía Alemania, para la cual representaba, en realidad, un enorme perjuicio.

Pese a tal circunstancia, la amenaza de invasión no procedió sólo de Alemania. Durante 1942, tras la intervención de Usa en la guerra luego del ataque japonés a Pearl Harbor, en diciembre de 1941, los

aliados anglosajones distinguieron a Franco con un trato casi exquisito, pese a la aversión que Roosevelt, influido por exiliados españoles
izquierdistas, profesaba al Caudillo. Los planes de ocupar las Canarias
quedaron finalmente desechados. En noviembre, Roosevelt mandó una
carta a su «querido general Franco», hablando de España y Usa como
«naciones amigas en el mejor sentido de la palabra», por lo cual le informaba de la próxima operación masiva de los aliados sobre el norte
de África, garantizándole que

> en forma alguna va dirigido este movimiento contra el Gobierno o
> el pueblo de España ni contra Marruecos u otros territorios españo
> les, ya sean metropolitanos o de ultramar (...) España no tiene nada
> que temer de las Naciones Unidas.

Y se despedía su «buen amigo» Franklin D. Roosevelt. Lo mismo
venían a comunicarle los ingleses.[11]

La razón de tanta afabilidad consistía en el grave riesgo que correría la ofensiva aliada, bautizada Torch, si España cambiara de postura, bien por sentirse amenazada por la operación o por creer la ocasión
crucial (no dejaba de serlo) para desbaratar una de las mayores acciones estratégicas de la guerra, prólogo a la invasión de Italia.

Pero una vez logrados sus objetivos en el curso de 1943, cuando
ya se vislumbraba la derrota alemana, Usa y Gran Bretaña cambiaron
radicalmente de actitud. En septiembre, Italia capitulaba, y en octubre
la prensa useña desató una campaña de ataques contra Franco, explotando un telegrama formulista enviado por Madrid a Laurel, el presidente filipino títere de los japoneses. Otro motivo para una presión
obsesiva fue la venta de volframio a Alemania, a la que España tenía pleno derecho en su condición de neutral. Este mineral entraba en las aleaciones de acero, y de súbito la prensa anglosajona le concedió una importancia desmesurada, como si gracias a él siguieran combatiendo los
nazis, o poco menos. Se trataba de un mero pretexto, como prueba el
hecho de que no sufrieran tales campañas Portugal, también exportadora de volframio al Reich, y otros neutrales, como Suecia o Suiza, que
le vendían materiales del mayor interés para la industria bélica, como
instrumentos de precisión y los rodamientos de bolas suecos, e incluso
cañones antiaéreos y otro material bélico. Para acosar a Franco, las po

tencias anglosajonas estrangularon el abastecimiento de petróleo, caucho y diversos productos, dejando semiparalizada, nuevamente, la industria española. Las campañas de prensa en Usa y Gran Bretaña tomaron un tono crispado, y Madrid interpretó que buscaban crear ambiente para invadir España.

Cinco años después, en 1949, Franco declaró ante las Cortes que fue por entonces cuando el país estuvo más cerca de ser invadido. Citó al respecto dos telegramas, uno del Foreign Office, fechado el 31 de enero de 1944, mencionando la aprobación de un plan conjunto useño-británico para atacar España y otro procedente del Kremlin, el 7 de febrero, condenando aquella operación como un desvío de la que interesaba a Moscú: el ataque a la «Fortaleza del Atlántico» por Francia, criticando de paso el estancamiento de los aliados en Italia. De este modo, Stalin habría salvado a Franco en aquel momento. Los documentos citados suenan a falso, empezando por su lenguaje algo truculento, inusual en los intercambios diplomáticos.[12]

Sin embargo es cierto que las presiones y pretextos empleados por Londres y Washington y las campañas auxiliares de prensa formaban el prólogo habitual de acciones ofensivas, y también es cierto que Stalin deseaba la invasión por Francia y por ningún otro punto, y que la ofensiva a través de Italia progresaba muy mal frente a una hábil y empecinada resistencia germana. El amo de la URSS sospechaba vivamente que los anglosajones retrasaban la ofensiva por Francia a fin de obligar a los soviéticos a desangrarse convenientemente ante los nazis, y rechazaba los planes de Churchill de atacar por los Balcanes, incluso por Italia, pues no se le ocultaba el designio implícito de cortar por ese medio el avance de los soviéticos, conteniéndolos lo más al este posible. Creo que el episodio, de gran interés y mencionado por R. de la Cierva, J. Palacios y L. Suárez, no ha sido estudiado apropiadamente hasta la fecha.

Sea como fuere, las coacciones de los aliados llevaron a España, por unos meses, cerca del colapso económico. Franco respondió con una mezcla de cesiones y resistencia parecida a la empleada antes con los alemanes, aunque en condiciones mucho peores, y consiguió un suavizamiento de la presión en los meses siguientes, a costa de retirar la División Azul (permaneció una reducida Legión Azul por algún tiempo) y recortar la exportación de volframio a Alemania. Pero si, como él mismo indica, aquellas presiones anticipaban un ataque militar, habría sido más bien Stalin quien lo habría evitado. Tampoco lo habría hecho éste por simpatía a Franco, va de suyo, sino porque para él España era un teatro de posibles operaciones muy secundario, y si la resistencia española resultaba lo enconada que cabía esperar por experiencias anteriores, una ofensiva aliada por la Península podía empantanarse como las alemanas en Yugoslavia. Stalin, y todo el mundo, creían que Franco caería como fruta madura a consecuencia del derrumbe, ya muy previsible, de Hitler.

Con esta visión, probablemente, y para adelantarse a otras soluciones, los comunistas españoles radicados en Francia, donde habían montado un pequeño ejército en la resistencia contra los nazis, cruzaron en octubre de 1944 los Pirineos por el valle de Arán. L. M. Anson da cuenta en su libro *Don Juan* de planes del sector monárquico más afecto al pretendiente al trono, en combinación con los servicios secretos useños, para promover una guerrilla comunista y utilizar la inestabilidad consiguiente como argucia para llevar a Madrid los tanques useños e imponer la monarquía, por lo demás muy poco democrática. Pero tanto la invasión comunista como las demás intrigas habían de frustrarse.

Vistas las cosas en perspectiva, no cabe duda de que Franco se encontró a lo largo de la guerra mundial en posición muy comprometida y de que al menos en dos ocasiones España estuvo a punto de verse arrastrada a la conflagración o invadida. Manejarse en situaciones tan extremas exigía una habilidad y una serenidad muy fuera de lo común, y el Caudillo demostró indiscutiblemente poseer esas cualidades, a menos que aceptemos el retrato habitual de un hombre torpe y pasivo, pero a quien todo salía a pedir de boca.

Por otra parte, su posición difería de la de otros neutrales, como Suecia o Suiza, países de valor militar muy inferior. La mera geografía confería a España una posición clave, y la decisión de Madrid tuvo efectos cruciales, en algunos momentos, sobre el curso de la guerra. Pudo haber hecho fracasar a los británicos en el Mediterráneo o la operación Torch, e hizo fracasar efectivamente la operación Félix, uno de los grandes planes estratégicos de Hitler en su momento, como éste le haría notar a Franco con amargura.[13]

Ante la hostilidad con que le siguieron distinguiendo las democracias en años sucesivos, Franco no dejó de recordarles que España no les era deudora, sino acreedora, lo cual era cierto.* Bien es verdad que las cosas salieron así no por hostilidad de Franco hacia a Hitler o afinidad hacia Churchill o Roosevelt, como ya quedó indicado. El Caudillo se atuvo en todo momento a los intereses de España, según él los entendía, y debe admitirse que los entendió bastante bien: libró al país de nuevas carnicerías, devastaciones y venganzas. Y de paso facilitó sustancialmente la victoria de las democracias, pese a no creer en ellas, lo cual, en definitiva, resultó lo mejor para Europa occidental, incluida la propia España.

Preston asegura que la neutralidad española en la guerra mundial no ocurrió por

> una gran habilidad o intuición, sino por una fortuita combinación de circunstancias: el desastre de la entrada de Mussolini en la guerra, que alertó al Führer contra otro aliado pobre; luego la negativa de Hitler a pagar el alto precio que el Caudillo solicitaba por su beligerancia; y, en definitiva, el hábil uso que los diplomáticos aliados hicieron de los escasos recursos alimenticios y de combustible en una España económicamente devastada (...) Por encima de todo, la neutralidad de Franco se debió a la calamitosa situación económica y militar de una España hecha añicos por la guerra civil, desastre del que el Caudillo obtuvo enorme provecho.[15]

¡Modo retorcido y contradictorio de entender la realidad! Si la neutralidad se debió a las devastaciones de la guerra civil (en otro momento dice que no fueron muy grandes, según convenga a sus tesis), entonces debe reconocerse que no sólo Franco, sino toda España, sacaron, al menos, ese inestimable provecho de la lucha fratricida, provocada por las izquierdas, tan anhelosas además de participar en la guerra mundial. El más elemental sentido común indica que ni Franco ni nadie

---

* Por ejemplo, en 1961, ante las Cortes, declaró: «Sin nuestra victoria, el curso de la última conflagración internacional hubiera sido bien distinta, como vieron claramente los aliados en momentos que pudieron ser decisivos, aunque en sus palabras y en sus obras no hayan luego correspondido suficientemente para saldar la deuda que ellos en particular, y el mundo cristiano en general, continúan teniendo con España. No somos deudores, sino acreedores.» Exageraba algo, pero en lo esencial tenía razón.[14]

habrían salido indemnes de aguas tan turbulentas por medio de la simple pasividad. Y no sobra especificar que el «hábil uso» de la pobreza de España no se debió a los «diplomáticos», sino al Gobierno inglés, que incrementó el hambre en España y mantuvo una constante espada de Damocles sobre su economía, cosa comprensible pero no reducible a mera «habilidad». Por lo demás, a Franco siempre le ocurría lo mismo, según determinados historiadores: sin ningún mérito de su parte, acertaba casi siempre.

En resumen, el hecho definitivo en el balance es que el general mantuvo al país al margen de esa guerra, frente al empuje de Hitler y de los aliados, y que la entrada habría complicado las cosas a los aliados y provocado cientos de miles de nuevas víctimas en España. Este último daño suelen considerarlo algunos insignificante, si lo causan las izquierdas, pero absolutamente intolerable en otro caso.

Franco expuso su propio juicio en estas palabras:

> ¿Qué hubiera pasado al término de la guerra (...) si hubiésemos dejado perennes las mismas causas que habían producido su ruina y no transformáramos entera la vida política de España, dando entrada a nuevos conceptos e ideales? ¿Qué hubiera ocurrido más tarde, en la guerra universal, cuando la amenaza nos acechaba por todos lados, si no hubiéramos tenido una disciplina y una unidad que nos permitió empuñar seguros el timón de la nave?[16]

CAPÍTULO IX

«Contubernio judeomasónico» y salvamento de judíos

Idea fija en Franco era la de una «conspiración judeomasónica», liberal y prorrevolucionaria. Detestaba a la masonería, considerándola «un super-Estado», una sociedad secreta que pesaba de modo oculto y pernicioso sobre la política de los países. A veces diferenció a la masonería española de las francesa e inglesa, estas últimas sociedades más o menos patrióticas y favorecedoras de los respectivos imperialismos. Por el contrario,

> desde que Felipe Wharton, uno de los hombres más pervertidos de su siglo, fundó la primera logia de España hasta nuestros días, la masonería puso su mano en todas las desgracias patrias. Ella fue quien provocó la caída de Ensenada. Ella quien eliminó a los jesuitas, quien forjó a los afrancesados, quien minó nuestro Imperio, quien atizó nuestras guerras civiles y quien procuró que la impiedad se extendiera. Ya en nuestro siglo, la masonería fue quien derribó a Maura y quien se afanó siempre por atarnos de pies y manos ante el enemigo, la que apuñaló a la Monarquía y, finalmente, quien se debate, rabiosa, ante nuestro gesto actual de viril independencia. ¿Cómo se nos puede negar el derecho a defendernos de ella?... Los masones en España significan esto: la traición a la patria y la amenaza a la religión, abyectas figuras que, por medrar, son capaces de vender sus hermanos al enemigo.[1]

Se ha explicado esta aversión como resentimiento personal tras haber rechazado a Franco *los hijos de la luz* o *hijos de la viuda*, como suelen llamarse los masones, cuando, siendo joven oficial en Marruecos, solicitó ingresar en la *orden*. L. Lavaur, en un libro sobre masonería y ejército, ha mostrado lo improbable de esa leyenda.[2]

Naturalmente, los masones tenían y tienen de sí una idea muy distinta. Se consideran una asociación «filosófica» y «discreta», dedicada a promover la tolerancia, la paz y la fraternidad entre los hombres, poseedora de arcanos guardados a través de generaciones, desde los imperios egipcios, Salomón y hasta desde Adán. La primera logia o centro masónico data del siglo XVII, en Inglaterra, y afirmaba provenir de asociaciones de canteros medievales. La sociedad pasó pronto a Francia, y en España habría jugado un papel clave luchando contra el absolutismo, así como contra el oscurantismo y la superstición engendrados por la Iglesia católica.*[3]

No es fácil hacerse un juicio preciso al respecto. Se trata, desde luego, de una organización opaca, cimentada sobre juramentos esotéricos, con títulos tan llamativos como *Príncipe de Oriente y de Occidente, Hermano Terrible, Gran Caballero de la Venganza* y similares, rituales extraños y signos secretos de reconocimiento. Por tales rasgos no puede calificársela de democrática o liberal, aunque cierto número de demócratas y liberales (e incluso católicos) hayan sido masones, y Franco y otros le atribuyesen ese carácter. Suena improbable que muchos de sus miembros crean de verdad en su harto peculiar corpus doctrinal o en sus ritos un tanto pintorescos, pero una *orden* así atraía a gentes muy variadas, desde los hombres prácticos que la veían como un medio de adquirir relaciones e influencias ocultas para medrar social o profesionalmente, hasta los propensos a visiones digamos místicas de la vida y la historia. En España, la masonería tuvo un tono jacobino bastante pronunciado, con mayor influjo de la rama francesa, atea o ateoide y

---

*   En esta disputa quizá tenga interés la opinión de Benedetto Croce, uno de los intelectuales italianos más agudos del siglo XX: «Escucho las jactancias de esta institución sobre su grande y saludable eficacia; escucho las atroces acusaciones que le lanzan sus adversarios (...) y me inclino a creer que jactancias y acusaciones son por igual exageradas.» Tenía una baja opinión de la masonería: «Pasa triunfalmente sobre todas estas cosas en nombre de la razón, de la libertad, de la humanidad, de la fraternidad, de la tolerancia. Y con tales abstracciones pretende distinguir a golpe de ojo el bien del mal.» La ideología masónica era «pésima no sólo mentalmente, sino también moralmente».[4]

fuertemente anticatólica, que de la inglesa, deísta y más tolerante con la religión.

La masonería española coadyuvó a las maniobras, de origen inglés, para liquidar el imperio español; fomentó el llamado «liberalismo exaltado», promotor del asesinato de curas y frailes y de los pronunciamientos militares, y tuvo vinculación, como mínimo, con el terrorismo de finales del siglo XIX y principios del XX. Masones conocidos estuvieron implicados en el asesinato de Cánovas o en el atentado de la calle Mayor de Madrid en 1906 que dejó en torno a treinta muertos y un centenar de heridos. Un masón muy devoto, Ferrer Guardia, relacionado con dicho atentado y otros, predicaba una revolución «ferozmente sangrienta», que hiciera correr la sangre «a torrentes», a fin de «purificar las conciencias». Ferrer fundó la Escuela Moderna, para formar a jóvenes en su ideología, y en 1909 fue condenado a muerte por su relación, no bien probada, con los sucesos de la Semana Trágica barcelonesa. Su ejecución provocó en toda Europa y buena parte de América un violento movimiento de masas contra la «España inquisitorial» y el «clericalismo asesino», exaltando la memoria de Ferrer como «el nuevo Galileo» y «el educador de España». El catalanista Cambó lo explica:

> Ferrer ocupaba uno de los lugares prominentes en la Masonería y la Masonería internacional tomó el affaire con el más grande entusiasmo.[5]

También está bastante documentada la influencia de la masonería en la Segunda República. Las primeras Cortes republicanas contaban con más diputados masones, distribuidos en partidos de izquierda y de centro, que de cualquier formación política. Pues otro rasgo distintivo de *los hijos de la viuda* es su tendencia a integrar a políticos, periodistas, militares y personas de influencia social en proporción muy alta. A la *orden* pertenecieron figuras tan destacadas como Azaña (sólo por motivos de poder, pues sus ritos le producían hilaridad), Companys, Martínez Barrio, Lerroux (aunque «durmiente», es decir, alejado), Samper, Portela Valladares y muchas otras.

Tratándose de una sociedad secreta o acentuadamente discreta, las noticias sobre su actividad son escasas y a menudo equívocas. Casi ningún masón relevante ha hablado mucho de ella, y en las memorias de Martínez Barrio, uno de los más prominentes miembros de la *orden*, ésta simplemente no existe. Pero Juan Simeón Vidarte, masón y socialista, coorganizador de la insurrección del 34 y de la campaña sobre las supuestas atrocidades represivas en Asturias, ha dejado testimonios del máximo interés, los cuales descartan la visión, diametralmente opuesta a la de Franco y difundida por los *hijos de la luz*, de la masonería como agrupación de personas ingenuas e idealistas, dedicadas a tareas filantrópicas.

De todos modos, la visión conspirativa de Franco parece un tanto exagerada. Pese a las ventajas derivadas de su secretismo y sus comunicaciones invisibles para los demás, la *orden* nunca pudo actuar como una organización estrictamente disciplinada, y no han faltado enfrentamientos entre sus miembros. Durante la Revolución francesa, tan influida por la masonería, sus miembros terminaron guillotinándose entre ellos. Y en el propio alzamiento español de julio de 1936 participaron algunos masones: Cabanellas, por ejemplo, jefe nominal tras la muerte de Sanjurjo y antes del nombramiento de Franco.

Franco también creía a los judíos enemigos tradicionales de los intereses de España, desde su expulsión del país por los Reyes Católicos. Ello tenía algo de cierto, como señala Madariaga en su obra *España*, pero probablemente no demasiado.* Por otra parte, la abundante presencia de judíos entre los dirigentes revolucionarios, particularmente en Rusia, abonaba una confusión fácil entre judaísmo y subversión, explotada a fondo en círculos ultraconservadores y nacionalsocialistas, donde circulaban como verdades inconcusas las fábulas de *Los protocolos de los sabios de Sión* y similares. Franco se inclinaba a relacionar a los judíos con la masonería. Debe considerarse, además, que la mayoría de las organizaciones judías interna-

---

* Algunos exaltados han comparado aquella expulsión de unos cien mil judíos con la *Shoah*, el exterminio nazi, o la han calificado de precedente de éste. Los judíos habían sido expulsados de otros países europeos, como Inglaterra o Francia, y en todo caso la expulsión española podría asimilarse a otras practicadas en el siglo XX por regímenes *progresistas* y totalitarios. Y hasta la expulsión de palestinos por los judíos en Israel, aunque ésta fuera motivada por una situación de guerra. Nunca al Holocausto.

cionales apoyaron activamente al Frente Popular durante la guerra española. Si bien no todas: la comunidad hebrea de Marruecos aportó dinero a la causa de los nacionales, y se vería recompensada a su debido tiempo.

Sorprendentemente, durante la guerra mundial Franco iba a ser uno de los escasos protectores de los judíos europeos.* En noviembre de 1940, su Gobierno recomendó a los sefarditas residentes en Francia (unos 7.000) bajo ocupación alemana que se declarasen españoles, evitándose portar la infamante estrella de David y el despojo de sus bienes, pues por ley procedente de la Dictadura de Primo de Rivera, los sefardíes podían solicitar la nacionalidad española. En diciembre, los consulados recibieron instrucciones de proteger los bienes de judíos inscritos como españoles. Y éstos, en general, recibieron mucho mejor trato, hasta provocar quejas y celos de otros correligionarios faltos de esa protección, pues las autoridades francesas colaboraban activamente con las nazis. A las comunidades judías del Marruecos francés se les comunicó que los refugiados del nazismo no sufrirían daños, aunque Madrid no siempre pudo cumplir la promesa. No era mucho, pero aún no había comenzado la política nazi de exterminio, emprendida masivamente en 1943.

En general, el Gobierno español dio cierta licencia a sus cónsules para proceder según su criterio, y los alemanes protestaron por los obstáculos puestos a su acción por las embajadas españolas en Rumania y Bulgaria. Franco, por inspiración de su ministro de Extériores, Jordana, firmó una orden para todas las embajadas y consulados en países bajo poder nacionalsocialista instruyendo para que

> con el mayor tacto posible, se hiciera ver a las autoridades antisemitas que en España las leyes no hacían acepción de personas por su credo y raza. Por ello todos los judíos residentes deberán ser protegidos como cualquier otro ciudadano.

La realidad, hoy bastante bien sabida, es que el régimen de Franco ayudó a los judíos más, probablemente, que cualquier otro país o en-

---

* Sigo aquí, de modo fundamental, el excelente resumen de Luis Suárez en los capítulos dedicados al asunto en *España, Franco y la Segunda Guerra Mundial*, Actas, Madrid, 1997.

tidad política, exceptuando el Vaticano. Ningún judío acogido en España fue devuelto a los nazis —en Suiza sucedió al revés—, y algunos diplomáticos españoles muy franquistas, como Sanz Briz, se distinguieron con acciones muy arriesgadas en pro de los perseguidos. En conjunto, la España franquista salvó a un mínimo de 46.000 de ellos.

Diversos estudiosos han querido atribuir estos méritos a la presión de los aliados, pero la pretensión es ridícula. Para empezar, los mismos que tal sostienen suelen atribuir a Franco ideas muy parecidas a las de Hitler, sin importarles el contrasentido. Y los aliados occidentales mostraron una increíble despreocupación por la suerte de las víctimas de la *Shoah*. En relación con España, incumplieron o retrasaron sus promesas de crear buenos y amplios campos de acogida en Marruecos, y se ocuparon casi exclusivamente de sus propios ciudadanos evadidos de la Europa bajo poder nazi, sobre todo los de edad militar, procurando cargar la atención a los hebreos sobre una España empobrecida y falta de recursos.

No sorprenderá, así, la frustración expresada por algunos líderes judíos. Por poner dos ejemplos, Ariel Sharon, en la reciente conmemoración de la liberación de Auschwitz, declaraba con amargura:

> Los aliados conocían la aniquilación de los judíos. Lo sabían y no hicieron nada... Todas las operaciones de rescate sugeridas por organizaciones judías fueron rechazadas. Simplemente no quisieron enfrentarse a ello (...) Los aliados planearon ataques contra objetivos cerca de Auschwitz, pero se negaron a bombardear el propio campo, donde 10.000 judíos eran asesinados a diario. La triste y la horrible conclusión es que a nadie le importó que los judíos fueran asesinados (...) Cuando en el verano de 1944 se llevaron a cabo las deportaciones masivas de Hungría, los aliados no bombardearon los raíles de los trenes, no bombardearon los complejos de Birkenau, a pesar de que podían hacerlo.

Recordó también el caso del buque *San Luis*, en 1939, con mil judíos a bordo fugitivos del III Reich:

> El barco llegó hasta Cuba y el este de Usa, y retornó sin remisión con la carga humana a la que esperaban los campos de exterminio.

Menajem Beguin hace en sus memorias observaciones parecidas:

> Las instituciones de la Cruz Roja, los representantes diplomáticos de los países neutrales y, sobre todo, el Servicio Secreto británico (...) sabían perfectamente adónde transportaba Hitler a los judíos (...) Pero guardaban silencio. Nadie sabe la razón de ese silencio. Lo cierto es que transcurrieron varios meses desde que empezara la campaña de exterminio, antes de que se filtraran algunas informaciones.

Y más adelante:

> No puede decirse que los forjadores de la política británica en el Oriente Medio no quisieran salvar a los judíos. Sería más correcto decir que deseaban que los judíos no se salvaran.[6]

La actitud de Madrid merece tanto más aprecio cuanto que tenía bastantes motivos de queja contra muchos beneficiarios de ella. El 28 de octubre de 1944 el ministro español de Exteriores, Lequerica, contestaba a ciertos requerimientos de las organizaciones judías:

> Desde hace tres años España viene accediendo reiteradamente y con la mejor voluntad a cuantas peticiones presentan comunidades judías (...), habiendo dado ello lugar a enérgicas intervenciones no sólo en Berlín, sino en Bucarest, Sofía, Atenas, Budapest, etc., con desgaste evidente de nuestras representaciones diplomáticas y llegándose en algunos momentos a discusiones enérgicas por defender nosotros esos intereses. Gracias a esas gestiones, numerosos israelitas de Francia han podido pasar nuestra frontera y continuar su viaje adonde desearan, otros se han visto eficazmente protegidos durante todo el tiempo de ocupación alemana en Francia, Holanda y otros países, y gran número de sefarditas han visto mejorado considerablemente el trato que sufrían en campos de concentración y aun han podido salir de éstos recuperando la libertad al entrar en España. Con el mismo criterio estoy dispuesto a seguir interviniendo (...) por motivos humanitarios a los que España en ningún caso debe dejar de hacer honor.
> Pero siendo ésta la situación, no puede menos de causar profundo sentimiento al Gobierno español el advertir que por empresas

periodísticas de radio, o de difusión de noticias controladas por elementos israelitas, especialmente en Estados Unidos, se hacen intensas y reiteradas campañas calumniosas contra España como la que en momentos actuales está en curso, por lo que debe VE convocar a cuantos se han interesado por estas cuestiones ante VE ahora y en tiempos pasados, para manifestarles el vivo deseo de España de que la comunidad israelita interponga toda su influencia para que esa campaña cese, esperando que, como temerosos de Dios y partidarios de la verdad, hagan cuanto sea posible para evitar que evidentes calumnias faltas de todo fundamento se sigan difundiendo por organismos de informaciones en que ellos puedan tener influencia, y especialmente por aquellos controlados por israelitas en Estados Unidos. Sírvase VE poner en esto el máximo celo y actividad, por ser incomprensible que reiterados y eficaces esfuerzos de España no hayan dado lugar a muestra alguna de reconocimiento por parte de esas comunidades.[7]

La protesta del ministro apenas exageraba. En aquellos momentos, por poner un caso, *La Voz de América* «informaba» de un imaginario alzamiento de miles de personas en Madrid. Es verdad, no obstante, que el 2 de octubre el Congreso Judío Mundial había acordado dar las gracias al Gobierno español por sus esfuerzos. Habría más tarde otros testimonios de gratitud, y en noviembre de 1975, a la muerte de Franco, la sinagoga principal de Nueva York celebró un servicio fúnebre en su memoria, «porque tuvo piedad de los judíos». Pero fueron más bien la excepción. El odio sembrado contra Franco volvió esporádicas y en cierto modo vergonzantes esas expresiones, que aun así motivaron fuertes tensiones en los organismos hebreos por parte de sus miembros antifranquistas.

Debe añadirse que el Gobierno español ayudaba teniendo noticias de una persecución infame, pero no de un exterminio planeado. Sólo tardíamente recibió noticias fehacientes del exterminio, y probablemente muchos dirigentes franquistas rehusaron creerlas, dado lo asombroso del crimen y la convicción extendida de que el nacionalsocialismo representaba, aun teniendo en cuenta su brutal determinación, un concepto «caballeroso» y civilizado de la vida.

Algunos historiadores, como Haim Avni, han reprochado al franquismo que después de la guerra exagerara sus méritos y su amistad hacia los judíos. Pero esa exageración se justificaba cuando fuerzas muy poderosas procuraban el aislamiento de España e identificaban a Franco con Hitler. Pregunta Avni:

> ¿Estaba en realidad el noble e idealista Don Quijote frente a Hitler? ¿Era el Gobierno español un caballero altruista e inocente luchando caballerosamente contra el mal? Este estudio ha mostrado que no era ése el caso.[8]

Planteamiento irrisorio, pues acaso nunca ningún gobierno se haya comportado así en la historia, y si alguno lo hizo sería para su mal. Según Avni, Franco podía haber salvado a más perseguidos. Posiblemente. También pudo haber salvado a muchos menos, o a ninguno, como hicieron la mayoría de los gobiernos. Por las razones que fuere, el hecho es que decenas de miles de judíos deben su vida a la política de los gobiernos de Franco, y ese mérito, una vez más, no puede ser borrado con divagaciones sobre sus motivos.

Queda, no obstante, la contradicción con la evidente antipatía que el Caudillo profesó a los israelitas. ¿Por qué, entonces, los ayudó? Pues no sólo lo hizo durante la guerra: en 1948 renovó la protección consular, a punto de expirar, a los judíos de Grecia y Egipto que lo desearan. El agradecimiento de Israel consistió en votar contra la retirada de las sanciones a España y contra la entrada de España en la ONU, en 1949. Madrid sufrió una dura decepción, y Franco, por esta y otras causas, ya no reconocería nunca al Estado de Israel. Con todo, su Gobierno siguió ayudando a los hebreos ante posibles nuevas persecuciones en los años 60, como reconoce Avni:

> Durante la salida en masa de los judíos de Marruecos, las organizaciones judías (...) utilizaron España como lugar de tránsito. La segunda vez, durante la guerra de los Seis Días.[9]

Como razones de la política franquista se han dado las más variopintas, incluyendo una presunta ascendencia judía de Franco, que parece excluida por los datos conocidos de su árbol genealógico. Todos los indicios sugieren la explicación más simple: la paranoia del contubernio judeomasónico no incluía aceptar, y menos colaborar, con las persecuciones nacionalsocialistas, incluso antes de la «solución final», o con otras en Marruecos. Eso repugnaba al espíritu cristiano que el franquismo decía representar. Y que en esas ocasiones representó. Obró sin entusiasmo y sin simpatía a los judíos, pero lo hizo, y esto, por supuesto, es lo que debe pesar en la balanza.

Ayuda a entenderlo, y asimismo la gran diferencia entre el nazismo y el franquismo, el ejemplo de la División Azul y las escuadrillas aéreas enviadas por el Gobierno español al frente ruso. Fueron tropas muy fuertemente ideologizadas en sentido falangista, y tuvieron un comportamiento bélico excelente, incluso para las exigencias de un ejército de la calidad técnica y combativa de la Wehrmacht. Algunos continuaron en las filas alemanas tras la disolución de sus unidades, hasta la misma caída de Berlín. Stalin consiguió que se declarase criminal de guerra a su primer general, Muñoz Grandes, pero no hay pruebas fehacientes de que los españoles cometieran crímenes de guerra o participaran en la persecución de los hebreos. Más bien al contrario: la población civil rusa guardó buen recuerdo de ellos, como pudo comprobarse hace unos años, con motivo del viaje de antiguos divisionarios a los escenarios de sus luchas de juventud.

CAPÍTULO X

Entre el bloqueo internacional y el maquis

A lo largo de 1943, conforme la derrota alemana se acercaba, y ya más decididamente en 1944, la suerte del franquismo pareció también echada. Entre los vencedores, Churchill mantenía hacia él una actitud ambigua, más bien inamistosa, aunque no enconada, Roosevelt le obsequiaba con su despectiva hostilidad, y Stalin tenía intención firme de derrocarlo. Franco quedaba solo y no podría, evidentemente, afrontar el poder abrumador de enemigos tales.

Parecía muy lógico, asimismo, suponer la existencia de una oposición latente y explosiva dentro de España. Por comparación con la mayoría de los europeos, los españoles habían pasado la contienda mundial en paz y mejores condiciones, con menos miseria y sin soportar los bombardeos y furias bélicas, los campos de concentración y de exterminio, etc.; pero la combinación del semibloqueo inglés con una sequía inhabitual causante de malas cosechas había extendido el hambre y fenómenos de corrupción como el *estraperlo* o mercado negro. Esas miserias debían haber desintegrado el respaldo popular al régimen y decepcionado a la mayoría de los franquistas de primera hora. Los vencidos, pese a los odios entre ellos, odiarían aún más a Franco, y anhelarían la revancha por la cruenta represión de posguerra. Las gentes recordarían con nostalgia la República, ante las penurias y la opresión del momento... Y el miedo a la represión se transforma en cólera cuando la liberación se vislumbra tan próxima. La prensa internacional ya informaba de sublevaciones, inexistentes, desde luego, pero que deberían materializarse pronto. Sometido a una irresistible presión interna y externa, el franquismo estaba maduro para caer.

No faltaban síntomas de cuarteamiento en el aparato franquista, particularmente en sus sectores monárquicos y en el ejército. Influyentes generales como Aranda, Kindelán, Orgaz y otros manifestaban de diversos modos su inquietud y descontento, y se hablaba de conspiraciones. En Suiza, el hijo de Alfonso XIII y aspirante al trono, el príncipe don Juan, antes muy franquista y que había llegado a coquetear con los nazis, percibía el cambio histórico y su peligro, asesorado por políticos expertos, Gil-Robles en primer lugar. Como éste observaba cuerdamente, nadie podía pensar siquiera en la continuidad de un Franco y su Falange como en una islita. Los aliados expulsarían por las buenas o por las malas al hombre encaramado al poder con ayuda de las vencidas Alemania e Italia, al Generalísimo que había manifestado tantas veces su simpatía por ellas —no tanto en hechos como en palabras, bien es cierto—, y que se había identificado explícitamente con muchos elementos doctrinales fascistas.

Pero, descartada por pura lógica la continuidad del franquismo, ¿qué iba a pasar? Entre el retorno de las izquierdas y de los separatistas y el resentimiento popular por la represión y las privaciones de posguerra, un nuevo caos revolucionario estaba servido. Sólo había un modo de evitarlo, mientras aún quedase tiempo: dotar al país de un régimen integrador, abierto, con las debidas precauciones, a izquierdas y derechas, capaz, en suma, de promover una convivencia aceptable a la mayoría de los ciudadanos, y bajo protección de los aliados. Ese régimen sólo podía ser la monarquía, y Franco, cumplida su misión de derrotar a los revolucionarios, debía irse y restaurarla. Convenía igualmente adelantarse a la formación de algún gobierno republicano en el exilio que arramblase con los favores de las potencias anglosajonas.

Durante 1943 y 1944, don Juan envió a Franco misivas cada vez más impacientes en este sentido. Para entonces, él y su círculo cortesano colaboraban, o más bien operaban bajo tutela de los servicios secretos useños, cuyo jefe, Allen Dulles, los trataba con un poco de condescendencia. A principios de 1944, cuando los aliados parecían próximos a invadir España, Dulles comunicó al círculo de don Juan que las horas de Franco estaban contadas, por lo que el pretendiente llevó su desacuerdo con el dictador hasta muy cerca de la ruptura, mientras Gil-

Robles declaraba no haber tenido relación con el alzamiento de julio del 36 (lo había apoyado con dinero, voluntarios y respaldo moral).

Las exigencias del grupo juanista y las peticiones de diversos generales descansaban en un hecho a su modo de ver ineluctable: la obstinación de Franco y los suyos en mantenerse frente a enemigos de tal calibre sólo podría empujar al país al desastre. Y a evitar ese desastre se orientaban sus maniobras.

Este análisis no tenía vuelta de hoja, y sin embargo Franco opinaba de modo distinto. Ante todo no estaba dispuesto a que los ingentes sacrificios realizados desde julio del 36 quedaran esterilizados, como si nada hubiera ocurrido, ni pensaba admitir el retorno triunfal de unos exiliados que, a su entender, habían causado los males del país y volverían a causarlos. En cuanto a sus apoyos interiores, no dudaba de ellos. Creía firmemente que, por encima de las penurias, la mayoría del pueblo estaba con él. En consecuencia, se empeñó en cohesionar e infundir confianza a sus seguidores para hacer frente a las lúgubres perspectivas. Trató de explicar a don Juan sus puntos de vista en cartas de réplica, indicándole de paso que, contra las pretensiones del príncipe, el alzamiento del 36 no había tenido carácter monárquico ni la monarquía representaba una solución deseada por casi nadie, después de su desprestigio y fracaso en 1931. La vuelta de la monarquía sería la coronación de un lento proceso, y exigiría del pretendiente una buena dosis de paciencia y firme adhesión al régimen, único capaz de restaurarla.

En los ambientes exiliados cundía la euforia, pues se veían a un paso de volver al país coronados de laurel. Su retórica indica que no habían olvidado ni aprendido nada, según la frase acerca de otros emigrados atribuida a Talleyrand.

Como de costumbre, el PCE percibió mejor que nadie la oportunidad. Al revés que los demás antifranquistas, que esperaban triunfar a través de intrigas de cancillerías y entre partidos, sin mayor riesgo o sacrificio por su parte, los comunistas estaban dispuestos a luchar de verdad por sus objetivos. Habían tenido un destacado papel en la resistencia francesa (después de la invasión de la URSS por Hitler; antes habían colaborado con los nazis o permanecido pasivos), y quisieron adelantarse para aparecer como los héroes del derrocamiento del tirano y ganar posiciones políticas. Así, en octubre de 1944 emprendieron tres penetraciones por los Pirineos, por El Roncal y Roncesvalles y, so-

128 FRANCO

bre todo, el 17 de octubre, por el valle de Arán, con unos 5.000 combatientes dotados de armamento ligero, pero moderno. No pretendían, claro está, ocupar el país, sino servir de chispa que provocase la explosión popular contra el régimen. Como especialistas formados en la guerra civil y en la resistencia francesa, debían encuadrar la previsible afluencia masiva a sus filas. Nada parecía más natural. Mas, para su incrédula sorpresa, ocurrió lo opuesto: la población los recibía con indiferencia u hostilidad, o colaboraba en la represión contra ellos. De modo que el ejército y la Guardia Civil dieron cuenta de la ofensiva en menos de dos semanas. Santiago Carrillo se encargó de ordenar la retirada.

La experiencia debió de reafirmar a Franco en sus previsiones. Tampoco le daba pánico la alianza entre los soviéticos y las potencias anglosajonas, pues no creía en su duración: los occidentales tendrían que contar con él antes o después. Salvo algún momento de vacilación, iba a mantener durante toda la crisis aquel talante tranquilo y frío que sacaba de quicio al embajador británico Hoare, el cual describe a un Caudillo «fatuo», «autocomplacido e inalterable», sin «dar muestras de estar preocupado por el futuro de España. Esta insolente actitud pagada de sí misma me resulta particularmente irritante». Hoare, en réplica a unas notas del ministro español Jordana sobre el creciente peligro soviético, le había escrito que, en su opinión y la del Gobierno británico, tal peligro no existía:

> Tampoco comparto la afirmación del ministro de que Rusia jugará una política antieuropea al final de la guerra.

Además, creía Hoare, Inglaterra saldría del conflicto, por primera vez en su historia, como una gran potencia militar no sólo en el mar sino también en tierra y en el aire, con fuerza suficiente para disuadir, máxime al lado de Usa, cualquier posible desviación de los planes trazados entre ellos y Stalin para la posguerra.[1]

Al día siguiente de comenzada la invasión por el valle de Arán, Franco, que llevaba tiempo presionando en balde por un final negociado de la contienda mundial, enviaba a Churchill una carta en tono amistoso, pero de advertencia, proponiendo una alianza hispano-británica frente al expansionismo soviético y en pro de una política europeísta. Reincidía en su preocupación fundamental desde la crisis de Munich de 1938: la contienda europea, después de arrasar el continente, dejaría a la URSS como auténtica vencedora. La carta mereció este juicio de Hoare:

> Es difícil decir si es más destacable la desfachatez de los argumentos de Franco o la ingenuidad de su modo de expresarlos.[2]

Previendo el final de la guerra, el *Generalísimo* decía:

> Una vez destruida Alemania, y al consolidar Rusia su situación preponderante en Europa y en Asia, cuando Estados Unidos haya reforzado, por su parte, su supremacía (...) los intereses europeos sufrirán la más grave y peligrosa crisis que jamás haya estallado en la desgarrada Europa. (...) A Inglaterra le quedará en Europa únicamente un país hacia el cual volver los ojos: España. Las derrotas de Italia y de Francia y la descomposición interior que roe a estos países no permitirán, probablemente, construir en ellos nada sólido en los años venideros. (...) La amistad recíproca entre Inglaterra y España es deseable (...) y esta necesidad será tanto más imperiosa cuanto mayor sea la destrucción infligida a la nación alemana.

Pero confesaba cierto pesimismo:

> No se ha disipado una niebla de hostilidad y de frialdad de parte de Inglaterra, que provoca una natural reacción defensiva en varios grupos dentro de España. Ni la prensa —incluyendo la del Gobierno— ni las radios británicas han cesado de atacar, periódicamente, a España, a su régimen o a su jefe, empleando muchas veces palabras amargas y descorteses y algunas veces conceptos y frases insidiosos.

Desde luego, la prensa franquista había correspondido ampliamente a la hostilidad británica a lo largo de la guerra, incluso cuando Alemania marchaba a la derrota. Por fin, Franco alertaba a Churchill contra la tentación de utilizar a los exiliados para subvertir al régimen, porque

> tal cambio, en caso de producirse alguna vez, sólo serviría a los intereses de Rusia.[3]

La carta y otras declaraciones de Franco pidiendo un puesto en la futura conferencia de paz hicieron hervir de indignación a los medios gubernamentales británicos, sobre todo al más prosoviético sector laborista de Attlee, pero también a los conservadores. El ministro de Exteriores, Eden, sugirió presionar a Usa para una acción común, privando a España de petróleo hasta provocar el hundimiento de su régimen. Churchill arguyó que preferiría vivir en España antes que en Rusia, y que tales medidas podían provocar una revolución en la Península de imprevisibles efectos sobre Europa. Pues tanto en Francia como en Italia los comunistas, principales fuerzas internas de resistencia a los alemanes, estaban adquiriendo una influencia muy grande, y las autoridades *burguesas* tenían serias dificultades para hacerse respetar.

Al final, Churchill mismo firmó la contestación a Franco, con copia a Stalin, al terminar 1944, cuando quedaban sólo cuatro meses para el derrumbe final de Alemania y ocho para el de Japón. El texto elegido era muy duro, aunque no tanto como otros propuestos. Franco quedaba avisado de que el Gobierno inglés de ningún modo apoyaría la participación española en los acuerdos de paz ni en la futura organización mundial. Lejos de aceptar la alianza propuesta por Franco pronosticaba a éste un crudo aislamiento. Con referencia a la URSS, le amonestaba:

> Induciría a un grave error a Su Excelencia si no alejase de su mente la idea de que el Gobierno de Su Majestad pueda estar dispuesto a considerar la formación de un bloque de poder basado en la hostilidad contra nuestros aliados rusos, o contra cualquier otra supuesta necesidad de defensa contra sus actividades. La política del Gobierno de Su Majestad está firmemente establecida sobre las bases del tratado anglo-soviético de 1942, y considera la colaboración permanente anglo-rusa, dentro del sistema de la organización mundial, como imprescindible para sus propios intereses y esencial para la paz futura y la prosperidad de Europa en su conjunto.[4]

Seguramente, Stalin sonrió al leer esta réplica, notablemente ingenua vista desde la historia posterior. Y Franco hubo de notar cómo su posición empeoraba. Aun así mantuvo la calma y la esperanza, al menos exteriormente, y cultivó unas mejores relaciones con Usa, sin éxito por el momento. El presidente Franklin D. Roosevelt, en cuya esposa ejercían considerable influencia algunos exiliados españoles, le detestaba. Ese talante oficial no disminuiría, sino al contrario, al fallecer Roosevelt en abril, al borde mismo de la victoria, sucediéndole Harry Truman, activo masón y el hombre que iba a ordenar el lanzamiento de las bombas atómicas sobre Hiroshima y Nagasaki.

En febrero, mientras el III Reich se hundía en un mar de sangre y ruinas, Stalin, Churchill y Roosevelt decidían en Yalta el reparto de Europa en zonas de influencia, manifestando su decisión de expulsar a Franco, aunque sin plazo fijo. Fue la gran ocasión de los exiliados, los partidarios de don Juan y otros opositores de última hora. Por entonces, según recoge el monárquico L. M. Anson en su libro *Don Juan*, Dulles informó al círculo del pretendiente de un plan para derrocar a Franco: los aliados occidentales no tomarían la iniciativa, pero

los milicianos exiliados, con la autorización del Gobierno francés, exigida por Estados Unidos, hostigarán el norte de España. Habrá lucha. Ante el peligro de que se extiendan los choques armados, los aliados, para no comprometer la paz europea, intervendrán de forma fulgurante en España, derrocarán a Franco, llamarán a Don Juan y convocarán elecciones libres.

A tal efecto, el pretendiente debería hacer una declaración pública de repudio al dictador. Don Juan, señala Anson, dijo no haber tenido nada que ver con el plan... pero admitió haberlo conocido y no haberlo rechazado.[5]

Por alguna razón el plan no funcionó, salvo, acaso, en la declaración de repudio. A mediados de marzo, don Juan publicó, bajo supervisión de Dulles, su famoso «Manifiesto de Lausana»:

Pasados seis años desde que finalizó la guerra civil, el régimen implantado por el General Franco, inspirado desde el principio en los sistemas totalitarios de las potencias del Eje, tan contrario al carácter y a la tradición de nuestro pueblo, es fundamentalmente incompatible con las circunstancias que la guerra presente está creando en el mundo. La política exterior seguida por el Régimen compromete también el porvenir de la Nación.

Por consiguiente requería solemnemente al general a abandonar el poder y dar

paso libre a la restauración del régimen tradicional de España, único capaz de garantizar la Religión, el Orden y la Libertad.

Y aunque no llamaba explícitamente a la sedición, avisaba a cuantos sostuviesen al régimen de

la inmensa responsabilidad en que incurren, contribuyendo a prolongar una situación que está en trance de llevar al país a una irreparable catástrofe.

Cada poco llovían nuevas razones para deprimir a Franco. El 25 de abril comenzaba en San Francisco la reunión fundacional de la ONU, a la que España no fue invitada. Tres días después Mussolini era capturado y asesinado junto con su amante Clara Petacci: los dos, y un grupo de fascistas más, fueron colgados boca abajo en una gasolinera de Milán, donde la chusma se ensañó con sus cadáveres. Quizá Franco vio en ello el tipo de venganza que también él podría sufrir. El 29 Hitler se suicidaba en el apocalipsis de un Berlín arrasado y humeante.

El 19 de junio México proponía en la reunión de San Francisco que no fueran admitidos en la futura organización de Naciones Unidas los regímenes formados con ayuda militar de las potencias del Eje. Era un ataque indisimulado al franquismo, en términos elaborados por los exiliados, los cuales entendieron la unánime acogida a su propuesta como un nuevo y decisivo paso hacia su propio triunfo. Y en julio se reunían los jefes aliados en Postdam, cerca de Berlín, para diseñar el porvenir político del mundo. Stalin acusó al régimen español de constituir un grave peligro para Europa, y propuso aislarlo por completo y respaldar a las «fuerzas democráticas» que luchaban o lucharan contra él. Los ingleses, temiendo un nuevo período de caos en España, procuraron suavizar la resolución. De todas formas quedó proclamada solemnemente la incompatibilidad de las potencias vencedoras con el Estado franquista.

Ante la situación en principio desesperada, Franco exhibía una notable parsimonia, mientras seguía maniobrando tenazmente para acercarse a Usa. Disminuyó los signos de identificación falangistas, que incomodaban de modo especial a los aliados, pero sin eliminarlos ni mucho menos, y puso énfasis en la significación católica de su régimen, ganándose de nuevo el respaldo y la influencia sutil del Vaticano. Haría con frecuencia declaraciones como ésta:

> No es un Estado caprichoso el que salió de nuestra Cruzada, sino un Estado católico, eminentemente social, construido sobre la base de cuanto nos une (...) El inspirar un sentido católico a todas las actividades del régimen es una peculiaridad que nos caracteriza;[6]

o traía a la memoria la salvaje persecución de las izquierdas contra la Iglesia.

Aunque consideraba al Movimiento la base de su influjo en las masas, nunca había dejado de entender el complicado juego de fuerzas y camarillas en torno al poder. Las derechas se habían caracterizado tradicionalmente por cierto carácter claudicante e indisciplinado, propenso a la división, y la crítica coyuntura le exigía jugar con sumo cuidado las bazas de sus soportes políticos: los monárquicos, la Iglesia,* los políticos procedentes de la antigua CEDA, el ejército, el carlismo y el Movimiento. Necesitaba, como condición esencial para resistir las presiones exteriores, tranquilizar a esas fuerzas e infundirles confianza, manteniéndolas firmemente unidas en torno a él. En conjunto logró plenamente sus objetivos pese a las ingentes amenazas exteriores, señal, una vez más, de una habilidad política muy descollante.

Por lo que respecta a los vencidos, abandonados por sus jefes, el Caudillo conocía muy bien su fraccionamiento e inoperancia. Los mismos comunistas no representaban entonces gran cosa, pese al tesón y valor casi imparangonables con que pugnaban por rehacerse. Y muy probablemente la masa de los izquierdistas prefería la paz, aun bajo un sistema adverso, a un retorno de las matanzas pasadas.

---

* El obispo catalán Pla y Deniel, muy significado en el apoyo a Franco durante la guerra civil, declaró: «La guerra que acaba de terminar en Europa ha sido un verdadero fratricidio de las naciones europeas, último fruto de la pérdida de la unidad cristiana de Europa, consumada en el siglo XVI; y que nada tiene que ver con la guerra civil española.»[7] Todavía no se conocían bien, y en general tendían a no creerse, las informaciones sobre los genocidios nacionalsocialistas.

Los exiliados, a su turno, volvieron a demostrar su carácter. Martínez Barrio, en calidad de «presidente de la República», dio su confianza para formar Gobierno en el exilio a Giral, el autor del armamento de los sindicatos en julio del 36, pero ni Prieto ni Negrín quisieron colaborar. Los resentimientos entre ellos resultaban insuperables. Con todo, los partidarios de don Juan —que no representaban a todos los monárquicos, pues Franco se había atraído al grueso de ellos— se sintieron alarmados por la competencia y redoblaron sus preparativos. Los anarquistas se reunieron en Francia para fijar una línea de acción común, y después de muchas riñas salieron escindidos.

Por su parte, los aliados occidentales, si bien deseaban deshacerse del Caudillo, temían crear en la Península un nuevo foco de crisis, contagiosas para el resto de la devastada Europa. Ese temor los obligaba a obrar con prudencia. La idea de que bastaría un empujón suyo para derrumbar al franquismo como un castillo de naipes sin mayores repercusiones posteriores era muy propia de los ambientes exiliados, pero no convencía a los experimentados políticos anglosajones. Éstos habrían podido imponerse en España con relativa facilidad al principio, pero ni había excesivas razones para confiar en la estabilidad del país bajo el poder de los antifranquistas ni podía descartarse la posibilidad de una resistencia guerrillera y violencias por todo el país. Franco advertiría de ello en alguna ocasión y observaría con optimismo que durante la guerra civil ninguna de sus unidades se había rendido al enemigo (con la excepción de Teruel y luego de una resistencia llevada al extremo). Habiendo logrado la unidad interna de unas tendencias que ante la magnitud de la amenaza exterior bien podían haber caído en el derrotismo y la disgregación, Franco se sintió con fuerzas suficientes para arrostrar la ofensiva de las Naciones Unidas y del maquis.

No obstante, don Juan y los exiliados se veían a las puertas del éxito, y tardarían en percatarse de que su hora había pasado. Don Juan, en particular, tan ardientemente deseoso de ceñir la corona, había perdido todas sus posibilidades. Franco estaba desbaratando de arriba abajo las maniobras de sus enemigos de forma en cierto sentido análoga a como había domeñado las ofensivas del Frente Popular para transformarlas en derrotas aplastantes. Volvemos a lo mismo: nadie medianamente imparcial, le guste o no Franco, puede dudar de su serenidad y destreza, ya acreditadas en crisis como el fracaso del golpe de Mola, la conducción de la guerra y el mantenimiento de la neutralidad durante la reciente guerra mundial.*

Sin embargo, apenas volvía a asomar la cabeza desde el pozo donde le habían metido. En enero de 1946 se desató en Francia una campaña contra su Gobierno, con motivo de la ejecución en España de un jefe del maquis, el comunista Cristino García, héroe de la resistencia francesa. Francia cerró la frontera y declaró el boicot económico a España. Las presiones internacionales se recrudecieron. En marzo, los gobiernos de Usa, Gran Bretaña y Francia emitieron un duro comunicado:

> Mientras el general Franco siga gobernando España, el pueblo español no puede esperar una completa y cordial asociación con las naciones del mundo que, en un esfuerzo común, consiguieron la derrota del nazismo alemán y del fascismo italiano, los cuales ayudaron al actual Gobierno español en su ascenso al poder, y a los que como régimen tomó por modelo.

Renunciaba a intervenir directamente en España, pero implícitamente amparaba a «los españoles patriotas y de espíritu liberal» y expresaba su confianza en que

> encontrarán pronto los medios de conseguir una pacífica retirada de Franco, la disolución de la Falange y el establecimiento de un Gobierno provisional.[8]

Y Polonia, reducida a satélite de Moscú, servía de punta de lanza a una nueva ofensiva desde Naciones Unidas. A mediados de abril presentaba ante dicha organización unos informes perfectamente imaginarios según los cuales España estaba, entre otras cosas, fabricando armas atómicas, por lo que suponía un peligro para la paz mundial. Una subcomisión de la ONU hizo como que tomaba en serio las acusaciones y emprendió una investigación. Lógicamente no encontró nada,

---

* Esa extraordinaria habilidad queda bien reflejada en las páginas de Preston sobre aquellos días. Si uno aparta de su relato la hojarasca de las frases peyorativas hacia el Caudillo, no puede menos de apreciar la capacidad del general para medir sus movimientos, sin pasarse ni quedarse a medias.

pero un mes después, tras reconocer que Franco no había cometido agresiones contra la paz internacional, lo calificaba de «amenaza potencial para la paz y la seguridad internacionales», entre otras cosas por el carácter «fascista» de su régimen. Y llamaba al aislamiento de España y a la ruptura de todas las relaciones con su Gobierno.

En los meses siguientes no paró de crecer la agitación exterior contra el franquismo, impulsada con brío y firmeza por países sometidos a Stalin. Pero bajo el aparente acuerdo general se estaba cumpliendo el vaticinio de Franco en torno a la imposibilidad de mantener la alianza entre las potencias anglosajonas y los comunistas. Éstos no constituían una amenaza «potencial» sino muy efectiva para la paz. En Francia e Italia su influencia ponía en riesgo la democracia. Mucho peor sucedía en la Europa centrooriental, donde el Kremlin había recuperado los Estados bálticos e impuesto su dominación absoluta sobre numerosos países desde Polonia hasta Bulgaria y Albania (se le escaparía Yugoslavia), y lo mismo en el norte de Corea, rodeando sus posesiones de un «telón de acero» o «cortina de hierro», según frase de Churchill; Grecia sufría una auténtica guerra civil promovida por las potentes organizaciones guerrilleras marxistas; en China y Vietnam, los comunistas preparaban, en medio de incidentes continuos, la acción armada para imponer su dictadura absoluta. Los anglosajones deseaban cualquier cosa menos la extensión de algo parecido a España, y evidentemente ni don Juan ni los exiliados ofrecían la menor seguridad al respecto. Los líderes británicos y useños hacían declaraciones rimbombantes ostentando una tan intensa como hipócrita «repugnancia» verbal hacia el franquismo y sus deseos de verlo derrocado, pero procuraban evitar presiones excesivas que resultasen desestabilizadoras.

Aun así, se hizo realidad el aislamiento internacional de España, con la retirada de embajadores y el consiguiente boicot económico. Algunos autores han calificado de inocuas estas medidas, que de hecho se venían aplicando desde principios de 1946, pero no lo fueron: basta observar el fuerte aumento del hambre en ese año. Las decisiones de la ONU fueron respondidas en España por amplias movilizaciones populares en torno al Caudillo, y no es difícil entender los motivos. La mayoría, probablemente una vasta mayoría de los españoles, no sólo rechazaban la injerencia extranjera, sino que veían en el franquismo, con todos sus inconvenientes, la garantía de la paz. Por supuesto, la propaganda del régimen utilizó a fondo esos argumentos, pero la gente no los sentía como meras argucias, pues la memoria de las pasadas violencias estaba muy fresca.

Los comunistas llevaban años tratando de poner en marcha organizaciones guerrilleras, valiéndose de grupos de diverso origen político escondidos en los montes, y más próximos al bandidaje de supervivencia que a la guerrilla. El fracaso del valle de Arán en 1944 les hizo comprender lo vano de esperar una insurrección general a partir del oportuno «chispazo», de modo que, con vistas a una lucha más larga y porfiada, pusieron en pie un «ejército guerrillero» distribuido en agrupaciones que en teoría cubrían casi todo el país. A esas guerrillas se las conoció con el nombre de *maquis*, tomado de la resistencia francesa, en la cual se inspiró. Mediante la militarización de las partidas existentes y la afluencia de nuevos militantes y expertos, bastantes de ellos fogueados en la resistencia francesa en incluso en las guerrillas soviéticas, parecía factible aprovechar el muy favorable ambiente internacional y el forzoso descontento de la población para crear una situación de práctica guerra civil, al estilo de Grecia. La acción armada contra el enemigo común debía servir, como cuando el Frente Popular, de señuelo para alcanzar «la unidad de todas las fuerzas republicanas y antifascistas» bajo la dirección del PCE, ofreciendo a los exiliados la bicoca de derribar a Franco sin tener que molestarse mucho, a cambio de un recubrimiento de legitimidad «democrática» para la empresa. Sin embargo, el recuerdo de la hegemonía comunista durante la guerra civil había vuelto muy desconfiados a los «republicanos» del exilio, los cuales tampoco tenían demasiada fe en la aventura. Por lo tanto, rehusaron participar en ella, ni siquiera nominalmente.

Pese al tropiezo, los comunistas persistieron en solitario, pero sin dejar de invocar títulos «republicanos» y de «unión nacional», con un lenguaje ultrapatriótico no del todo creíble. Ellos, calculaban, serían quienes sacaran provecho a la política de aislamiento y boicot propiciada por la ONU; y el pueblo, sumido en la miseria, apoyaría a los luchadores mientras los intrigantes y charlatanes *republicanos* del exilio, «antifascistas» de café, serían quienes quedaran aislados, por rechazar la oportunidad ofrecida. Dentro del país no había sólo guerrillas dirigidas por el PCE (una pequeña partida del PSOE operó, aislada y sin mucho ímpetu, en Asturias, y también actuaron algunos grupos de acción anarquistas), pero las comunistas fueron las únicas que respondían a una estrategia y concepción políticas.

En respuesta, el Gobierno movilizó a la Guardia Civil y en algunos casos aislados hizo intervenir al ejército. Para 1947, el maquis había recibido golpes demoledores, y en septiembre de 1948 Stalin «aconsejó» al PCE cambiar de orientación, disolviendo las guerrillas y los sindicatos clandestinos, para penetrar en los sindicatos oficiales.* Con todo proseguirían las acciones esporádicas hasta 1952. Según datos de la Guardia Civil, entre 1943 y 1952 las partidas espontáneas y el maquis causaron cerca de mil muertos, de ellos 307, además de 448 heridos, a las fuerzas de la represión. También realizaron 834 secuestros, 538 sabotajes y casi 6.000 atracos, la gran mayoría de ellos entre el final de la guerra mundial y 1948. A su vez, los maquis tuvieron 2.173 muertos en 1.826 encuentros con la Guardia Civil y a veces el ejército. La causa principal de su derrota salta, una vez más, a la vista: la falta de apoyo popular, que no existió o fue muy escaso, obligando a muchas partidas a recaer en el inicial bandolerismo. Sin embargo, el régimen siempre pudo temer la utilización del maquis como pretexto para maniobras o agresiones exteriores.

Si en 1947 Franco había acorralado a la guerrilla, también en ese año logró un triunfo indirecto contra la presión aislacionista en la ONU, pues una propuesta de los países comunistas de intensificar las sanciones terminó en lo contrario, en un suavizamiento de las mismas.

Y para 1949 Franco había derrotado una vez más a sus adversarios. Del movimiento guerrillero sólo quedaban residuos, y al aislamiento internacional le ocurría algo parejo. Contra la esperanza de sus promotores, el boicot no había provocado un levantamiento popular ni corroído al régimen. El cual salía fortalecido de la prueba y había logrado

---

* Que la decisión de sistematizar las guerrillas en España procede del Kremlin es segura, pues el PCE no lo habría hecho por iniciativa propia. En cambio hay confusión sobre la orden de retirada, si alguna vez se dio. Gregorio Morán, en *Miseria y grandeza del Partido comunista de España. 1939-1985*, pone en duda la orden de retirada de Stalin en 1948. Según él, sólo indicó la conveniencia de infiltrar los sindicatos del régimen, aunque suena raro que sólo para eso convocase una reunión de alto nivel.

evitar los peores efectos del bloqueo gracias a la Argentina, de la que había obtenido créditos para comprar trigo y carne.

Otro suceso favorecía indirectamente la posición española: ese año China entera caía en poder de los comunistas, que así extendían su dominio sobre un tercio de la humanidad, en una progresión de rapidez nunca vista en la historia. Franco parecía tener alguna razón, y en diversos círculos políticos occidentales aumentó la simpatía hacia él, aunque expresada bajo cuerda. Muchos pensaron que en España no había alternativa a Franco. No existía nada semejante a una oposición democrática a la que confiar un país de tan alto valor estratégico, y por lo tanto tendrían que amoldarse al franquismo. Caía definitivamente por tierra aquella colaboración entre las democracias y la URSS como garantía de la paz en Europa y el mundo, esgrimida por el Gobierno británico contra la advertencia contraria de Franco. Sin embargo, el impulso de la oposición internacional al Caudillo era tal que todavía pasaría un año hasta que la ONU admitiera el fracaso de sus decisiones de 1946 y las revocase, permitiendo la vuelta de los embajadores y el comercio con España. Para entonces estaba en marcha la guerra de Corea, tras la invasión de Corea del Sur por los comunistas del norte.* Y aun así, hasta tres años después no firmaría el régimen acuerdos sustanciales con Washington, así como el concordato con la Santa Sede, y hasta finales de 1955 no se abriría paso dentro de la ONU.

El boicot internacional, en el que pusieron enconado empeño los países satélites de Moscú, no logró, por lo tanto, derrocar al franquismo, y en cambio empeoró notablemente las perspectivas de recuperación económica del país y prolongó los años de hambre y privaciones. Pero ¿qué habría pasado de haber tenido éxito? ¿Valían como alternativa al régimen los políticos exiliados, que tanta responsabilidad habían tenido en la guerra civil, y tan detestados eran por la mitad, al menos, de la población? ¿Valían unos monárquicos sin prestigio, sin el menor arraigo en la España de izquierdas y con muy poco en la de derechas? ¿O una combinación de todos ellos? ¿Iban a aceptar mansamente tal

---

* Una versión típicamente prototalitaria en Preston: «Se extendió una paranoica creencia de que los triunfantes Estados Unidos se veían amenazados porque los secretos de la más grande de sus armas habían sido entregados al enemigo.» ¿Creencia paranoica? ¿No había nada que temer de tal hecho?[9]

cosa, y además bajo un práctico protectorado extranjero, las masas de españoles que se sentían vencedoras, y máxime despúes de haber permanecido neutrales e independientes durante la guerra mundial? Nada de ello suena muy razonable. Con la mayor evidencia, el éxito del boicot y el aislamiento internacional no habrían traído una democracia estable, sino nuevos disturbios y hasta la guerra civil, como habían intentado los comunistas y temían Churchill y otros políticos con los pies en la tierra.

Signo de la consolidación del régimen: el número de reclusos en sus prisiones había ido bajando hasta los 30.000, comunes en su mayoría, al terminar la década de los 40. La cifra ya se aproximaba a la normal para la población de entonces (28 millones). La tendencia a la baja sólo se había invertido en los años del maquis, y de forma poco acusada, con un máximo de 38.000 presos en 1947.

CAPÍTULO XI

¿Dos décadas perdidas?

En 1961, siendo ya bien palpables los beneficios del cambio de política económica iniciado con el plan de estabilización de 1959, que dejaba atrás las ilusiones de la autarquía, Franco declaró:

> Cuando abrimos el período de estabilización se dijo por algunos que cambiábamos violentamente el signo de nuestra política económica, pasando de la autarquía a la concurrencia, cuando lo que únicamente sucedió es que las circunstancias que nos habían obligado en una primera etapa a valernos por nosotros mismos, con ocasión de la guerra internacional y la incomprensión externa, habían cambiado sustancialmente al recoger los frutos del Plan de Desarrollo de urgencia que desde los primeros días de la guerra acometimos (...) Lo milagroso es haber hecho esto, lo que nosotros hicimos en la década de 1940 al 50, donde sentamos las bases de nuestra revolución industrial, iniciamos los programas de regadío y de repoblación y promulgamos la legislación social básica, cuando ni la ayuda americana ni el turismo habían comenzado a gastar pesetas; era un compromiso de confianza entre un pueblo y un régimen que harían lo que hubiera que hacer con tal de no renunciar a una paz decididamente ganada y a una convivencia política obtenida después de un largo período histórico de luchas y desavenencias.[1]

Al hablar así, Franco desfiguraba bastante los hechos y hacía de necesidad virtud. Pero cuando sus críticos hablan de «dos décadas perdidas» falsean la realidad por lo menos otro tanto. La economía autárquica del franquismo enlazaba con una tradición remontada hasta Cánovas, y trataba de imitar la orientación de la Alemania nacionalsocialista, tan exitosa en apariencia. Fue una política deliberada, y sus mediocres efectos quedarían patentes en los años 50. Pero en los 40 las circunstancias internacionales no permitían otra salida: en la primera mitad de esta década, marcada por la conflagración mundial, los neutrales no pudieron sacar partido de su posición al modo como lo había hecho España en 1914-1918, cuando se había enriquecido comerciando con los beligerantes. Y la segunda mitad de los 40 estuvo pesadamente condicionada por las presiones y ataques exteriores.

¿Cuáles fueron los efectos económicos del aislamiento internacional de 1945-1950? Algunos autores los tienen por irrelevantes, pero muchos datos, ya quedó indicado, prueban su onerosa gravitación sobre la economía española, empeorados por la acción del maquis. Y por la exclusión del Plan Marshall.

La guerra mundial dejó muy postrados a los países europeos, cuyas economías seguían sin dar buenos síntomas de recuperación en 1947. Ello favorecía la subversión comunista y, para contrarrestarla y ampliar los mercados a sus productos, Usa puso en acción el Plan Marshall, oferta de abundantes créditos en excelentes condiciones a los países europeos, incluyendo las dictaduras del Este... pero no a España. Stalin obligó a sus países satélite a rechazar el plan, el cual permitió, en cambio, reavivar las estancadas economías de Europa occidental. Por lo que hace a España, la privación del Plan Marshall combinada con el boicot internacional, sólo roto en lo más elemental por Argentina, impuso al país una auténtica segunda posguerra, pese a no haber participado en la contienda europea.

El índice de muertes directamente por hambre nos indica algo sobre la evolución económica de la época. Durante la primera mitad de los 40 el año de más hambre fue 1941, con un pico de 1.093 fallecimientos por esa causa, debido a las malas cosechas y a la escasez de fertilizantes, carburante y otros recursos, originada en amplia medida por la ruda presión británica sobre el comercio exterior. La cifra bajó a 842 el año siguiente, y en el período 1943-1945 volvió a la media de la República (240-320). En 1946, en cambio, se produjo un violento rebrote de hasta 1.120 muertes directas por inanición, para bajar de nuevo en los años siguientes a los niveles republicanos. Si consideramos que cada muerto por hambre refleja seguramente a algún millar o millares de personas subalimentadas, cabe hacerse una idea de la situación. Se observa una línea parecida en la sobremortalidad por enfermedades derivada de carencias nutricionales: también en 1941 y 1946 sobresalen dos abruptos «picos», menos alto el del 1946.[2]

Los datos permiten apreciar igualmente el empeño del régimen por superar las calamidades. Así, en conjunto se registró en esa década un rápido descenso de la mortalidad infantil (41 % menor que en los años republicanos) y un aumento muy considerable en la esperanza de vida al nacer, que pasa de poco más de los 50 años de la república a 62,1 en 1950. Ello demuestra que, pese a las duras circunstancias, la salubridad general y la atención médica mejoraron muy sensiblemente. Y lo harían aún más en lo sucesivo, llegando a situar a España por encima de casi todos los demás países europeos, partiendo de una posición entre las últimas. Casi se duplicaron otros indicadores, como la producción de electricidad o el número de teléfonos, y empezaron a funcionar ambiciosos programas de repoblación forestal, regadíos y pantanos, que paulatinamente atenuaron los crudos efectos tradicionales de las sequías. Se construyeron asimismo grandes industrias químicas, de automoción, etc., a través de un organismo oficial, el INI, si bien a un coste excesivo, y con una rentabilidad y productividad bajas.[3]

Asimismo percibimos en la década de los 40 un crecimiento considerable en la población escolarizada y universitaria. Para 1944-1945 el número de escuelas había aumentado en más de diez mil sobre las del máximo año de la República, igualando el ritmo constructor de ésta: había 19.500 para niños, 19.000 para niñas y 14.500 mixtas. En 1950 habían aumentado hasta cerca de 60.000 en total, y casi toda la población infantil estaba escolarizada. También se había duplicado el número de alumnos de enseñanza media con respecto a la época republicana, y la universitaria había pasado de 33.000 a más de 50.000.

Estos y otros datos han llevado a algunos economistas a poner en cuestión muchas cifras e impresiones manejadas habitualmente hasta ahora. A resultas de los esfuerzos de la época, al terminar la década de los 40 el país recobró el nivel de renta de 1935, momento situado por la mayoría de los analistas en 1951, más o menos en simultaneidad con la recuperación de los demás países de Europa occidental. Ello significa que lo que costó a esos países entre cuatro y siete años le costó a España once. Con todo debe advertirse que los cálculos varían considerablemente de unos a otros economistas,* tanto en la estimación de las pérdidas de las respectivas guerras como en los años de recobro del nivel previo a ellas. Y al hacer la comparación con esos países europeos conviene no olvidar que, si bien varios de ellos sufrieron destrucciones mayores, partían también de un nivel bastante superior en infraestructuras y preparación técnica de la población, y que su reconstrucción contó con ayudas y circunstancias muy favorables, mientras que España en vez de ayudas recibió un activo boicot encaminado deliberadamente a arruinarla.

Podría resumirse la apreciación de ese decenio como una especie de economía de guerra, muy intervencionista y proteccionista, aplicada en situaciones excepcionales. Política hoy desaconsejada casi universalmente pero que, con todo, consiguió algunos frutos relevantes y beneficiosos para el futuro.

La política económica de los años 40 continuó, si bien con mayor flexibilidad, en los años 50. También esta década registró avances nada desdeñables. El país creció a un ritmo semejante al de los años 20, la época de mayor desarrollo español hasta entonces desde principios del siglo XIX. En la década de los 50 desapareció definitivamente el hambre, el analfabetismo quedó casi erradicado entre los jóvenes y la esperanza de vida se situó en 69,9 años, entrando ya en la media eurooccidental. Estos éxitos, muy dignos de aprecio, nos parecen modestos al compararlos con los de la Europa rica, porque ésta prosperó a unas tasas nunca vistas hasta entonces, y las diferencias de renta entre ella y España aumentaron, en lugar de disminuir. Los casos de Alemania e Ita-

---

* Por ejemplo, para el retroceso en la renta durante los años 1935-1940, la variación es entre –26 % de Carreras y –10 % de Naredo, –13 % de Prados o –17 % de Alcalde. Y la tasa anual de crecimiento para los años 40 varía entre 1,1 % de Prados y 3,8 de Naredo, 2,0 de Alcalde y 1,7 de Carreras o el 1,4 de P. Schwartz. Sobre el año de recuperación de la renta de preguerra discrepan los autores, tanto respecto a España como a los países europeos. Suele estimarse que la recuperación se realizó entre los años 49 y 53, según los países. G. Fernández de la Mora y Varela adelanta las fechas de recuperación española en «Revisión de la economía española en los años 40». *Razón Española*, núm. 111, Madrid, enero-febrero de 2002.

lia, las potencias vencidas en la guerra, asombraron a todo el mundo, y se hizo común referirse a ellos como «milagros».

Por otra parte, la política autárquica, que buscaba sustituir importaciones y desarrollar la industria sobre la base del reducido mercado español, hacía agua al final de la década. La inflación alcanzaba cotas peligrosas, la peseta estaba sobrevalorada y dificultaba las exportaciones, las industrias sobreprotegidas exigían la importación creciente de materias primas y apenas producían bienes competitivos en el extranjero, y las reservas de divisas cayeron a mínimos históricos. En estas circunstancias se imponía un cambio radical de orientación, en pugna con ideales y conceptos preferidos por Franco y muchos políticos del régimen. El profesor J. Velarde Fuertes ha mostrado la oposición, proveniente ya de Cánovas, entre lo que llama modelo económico «castizo», basado en un alto proteccionismo y en el desarrollo «hacia dentro», y el modelo propugnado por corrientes más liberales, partidarias de la apertura al exterior, de la que esperaban un desarrollo más intenso, como así ocurriría.

Franco, desde luego, se alineaba con los «castizos», pero terminó por aceptar las propuestas en sentido contrario. Al igual que la mayoría de los políticos españoles y extranjeros, poseía conocimientos sumarios de economía, pero sentía gran respeto por los expertos económicos. En ello difería de los dirigentes republicanos, que se habían permitido cerrar tranquilamente el único centro superior de estudios económicos, el de Deusto, por el mero hecho de ser católico. Por el contrario, la primera facultad de Ciencias Económicas de España se creó en 1944 y por iniciativa personal del dictador.

De modo que en 1959 el Caudillo pudo percibir el agotamiento del modelo anterior y terminó por aceptar, a propuesta de Ullastres, Navarro Rubio y otros, unos cambios que en principio le repugnaban. Navarro ha relatado la pequeña lucha que hubo de sostener con Franco para convencerle de la necesidad de reorientar la economía. El general se resistía, pero, confrontado con los riesgos crecientes del momento, terminó por inclinarse ante los hechos. Tanto Navarro como F. Estapé y otros más o menos implicados en la nueva política económica coinciden en describirlo como hombre realista y cuerdo.

No puede hablarse, por lo tanto, de años perdidos como si se tratara de una época de estancamiento. Los años 50 contemplaron un avance notable en relación con cualquier época española anterior, aunque el país quedara atrás ante el crecimiento sin precedentes disfrutado por Europa occidental, merced a unas circunstancias y unas políticas excepcionalmente favorables. Por otra parte, a partir de 1960 España iba a crecer económicamente a un ritmo nunca visto antes o después en el país, acortando con rapidez las distancias en renta per cápita con la Europa opulenta. A lo cual contribuyó, seguramente, la dura labor de las décadas «perdidas».

Y si establecemos la comparación con los países del Este europeo, todas las ventajas caen del lado de la España franquista, tanto en el plano económico como en el político. La comparación es pertinente, porque el grueso de la oposición a Franco comulgaba, y lo haría hasta el final, con el marxismo, e incluso los sectores menos operativos y más *burgueses* de dicha oposición solían exhibir notable respeto y comprensión hacia los regímenes de «democracia popular» satélites de Moscú.

Otro tópico que se debe abandonar es el del «páramo intelectual» o cultural achacado a aquellas décadas por una propaganda muy persistente, pero aquejada ella misma de un nivel intelectual no precisamente alto. Julián Marías, antifranquista liberal y uno de los más destacados pensadores de posguerra, ha expuesto la muy considerable vegetación del pretendido páramo, y Ortega y Gasset notó, al volver a España en 1946, la «indecente salud» del país. La tesis del páramo, del hundimiento cultural, reposa en la falsa idea de que la intelectualidad apoyó en bloque al Frente Popular durante la guerra, teniendo que exiliarse luego. Lo expresa poéticamente la imprecación de León Felipe al Generalísimo: «Tú me dejas desnudo y errante por el mundo, mas yo te dejo mudo.»

Desde luego un número notable de intelectuales, profesores y profesionales optó por el Frente Popular, y su exilio posterior no dejó de constituir una seria rémora para la sociedad española. Pero igual pasó con los militares y el resto de la población: quedaron divididos casi por la mitad. El bando nacional atrajo a tantos intelectuales como las izquierdas, a más entre los jóvenes, según ha mostrado el historiador J. M. Cuenca Toribio.[4]

R. Salas Larrazábal resume bien la cuestión en *Pérdidas de la guerra*:

El alejamiento de España de Duperier, Ochoa, Trueta, Jiménez de Asúa, Bosch Gimpera, Sánchez Albornoz, Madariaga, Américo Castro, Falla, Casals, A. Machado, Alberti, Juan Ramón Jiménez, Guillén, Salinas, Ferrater Mora, Aub, Casona, Sender, Pérez de Ayala y tantos otros, supuso una importante pérdida de muy difícil sustitución (...) Se marcharon muchos, pero quedaron más. Entre estos últimos podemos contar a personalidades de tanto relieve como Menéndez Pidal, Azorín, Baroja, D'Ors, Ortega, Marañón, Vicens Vives, Carande, Valdeavellano, Palacios, Rey Pastor y un largo etcétera en el que podrían incluirse nombres más recientes como los de Cela, Dámaso Alonso, Buero Vallejo, Caro Baroja, Delibes, etc. Nombres insignes y de muy variada ideología.

Y muchos exiliados volvieron pronto a España.*[4]

Con todo, no hay duda de la relativa depresión de la vida intelectual de posguerra si la contrastamos con el considerable esplendor previo. Se ha atribuido a la República la eclosión literaria, filosófica y artística, en menor nivel científica, de preguerra, pero la República simplemente heredó las *generaciones* provenientes de la Restauración y la Dictadura de Primo de Rivera, que compusieron la «Edad de Plata» de la cultura española. Similarmente se ha achacado al franquismo, en especial a su censura, el declive posterior. Sin embargo, ni fue un declive pronunciado ni la censura, más pacata que otra cosa, impidió la creación o publicación de ninguna obra importante. Por lo demás, la depresión cultural afectó igualmente, incluso con más profundidad, al resto de Europa, cuya creatividad intelectual de posguerra descendió con respecto a la anterior. No se sabe a qué obedecen estos fenómenos, pero el hecho es que al florecimiento económico y a la ampliación de las libertades en Europa occidental no le ha correspondido algo parejo en el campo de la cultura. Lo mismo cabe observar de la España democrática de hoy, nada parecida a un vergel cul-

---

* Como curiosidad, encontramos entre los retornados a varios de los más influyentes nacionalistas catalanes, como F. Soldevilla, A. Hurtado o J. Oliver, y hasta algunos tan radicales como Rubió i Tudurí, J. Sales o R. Gali, vueltos los dos últimos en 1948. Muchos de los intelectuales y artistas catalanes más descollantes, como D'Ors, Dalí, Valls Taberner, Pla, Sert, Agustí, etc., tomaron partido por Franco. Aún más acentuadamente ocurrió ello con la intelectualidad vasca.

tural, y donde hasta podría señalarse una chabacanización intelectual muy pronunciada, más lamentable por venir respaldada por un elevado gasto público.

Franco había acertado de lleno al negar a Churchill, en 1944, la posibilidad de una alianza permanente entre las democracias y el comunismo, y de esa aguda previsión terminaría sacando buen partido. Pero erró al pronosticar que Francia, Italia o la destruida Alemania no servirían de barrera al comunismo. Los anglosajones comprendieron pronto la necesidad de la reconstrucción alemana para contener a los soviets, y Usa tuvo éxito en fomentar el desarrollo económico y asegurar la democracia en Francia, Italia y Alemania, alejando progresivamente del poder, sobre todo en las dos primeras, a unos movimientos comunistas muy poderosos en la inmediata posguerra. También las guerrillas griegas terminaron derrotadas en 1949, aunque para ello debió intervenir directamente Inglaterra.

Los gobiernos eurooccidentales, en especial los de Francia, Inglaterra y Holanda, bastante menos el alemán, concibieron hacia el régimen español un tajante despego, con el que no obsequiaban, sin embargo, a las dictaduras portuguesa, yugoslava y otras del Este, mucho más opresivas. Entendían la guerra de España según los tópicos de la propaganda soviética, como una lucha del fascismo contra la democracia, de una oligarquía retrógrada contra el pueblo, y recordaban sin cesar la ayuda recibida por Franco de Hitler y Mussolini. Olvidaban convenientemente que durante la guerra española sus países habían permanecido neutrales, que después habían defendido muy mal sus libertades frente a Hitler, salvo Inglaterra, y que todos ellos debían su democracia mucho más a Usa que a sí mismos.

No cuajó, pues, la alianza hispano-británica propuesta a Churchill por el Generalísimo, y España no tuvo arte ni parte en la consolidación de Europa occidental. Sin embargo, los gobiernos useños tenían clara conciencia del papel estratégico de la península Ibérica en caso de ofensiva soviética. Dada la experiencia de la guerra mundial y la existencia de quintas columnas tan potentes como los partidos comunistas francés e italiano, las posibilidades de resistir en esos países parecían escasas, mientras que España daba la impresión de mantenerse como firme bastión antisoviético, y su posición geográfica hacía de ella la base ideal, con Gran Bretaña, para reagrupar fuerzas y contraatacar. Por ello, Usa se dejó cortejar por el régimen español en mayor medida que los países euroccidentales, más hostiles a Franco y favorables a cualquier oposición antifranquista, incluso terrorista. De este modo, lo que el franquismo perdió en Europa lo fue ganando con rapidez, desde principios de los 50, al otro lado del Atlántico. Lo cual, en definitiva, le beneficiaba más. La alianza con Usa entrañaba, inevitablemente, cierta subordinación a ésta, si bien no superior, en realidad bastante inferior, a la que debía soportar el resto de Europa occidental.

Y así, después de vencer al maquis y al boicot internacional, el franquismo se consolidó definitivamente durante los años 50. Un buen indicio de su aceptación interna y externa está en la población reclusa, que al terminar el decenio sumaba unos 15.200 presos,[5] cifra realmente baja, y muy pocos provenientes de la guerra civil o de actividades políticas. Es en este ambiente general donde debemos situar los aislados disturbios sociales de aquellas dos décadas, como algunas huelgas en Bilbao en 1947, el boicot a los tranvías de Barcelona en 1951 y el conflicto universitario de Madrid en 1956. Agitaciones en todo caso muy inferiores a las habituales en la mayoría de los países europeos.

CAPÍTULO XII

Una prosperidad nunca vista

En 1975, año de la muerte de Franco, la renta española por habitante se aproximaba a la media de la Europa opulenta más que nunca antes: en torno al 80 %. Y ello a pesar de que las tasas de crecimiento europeas habían seguido siendo altas. Por lo tanto, a partir de 1960 la economía del país había crecido de forma realmente espectacular. Un porcentaje tan alto de la media europea no volvería a alcanzarse de nuevo hasta años muy recientes, prácticamente ya en el siglo XXI, y partiendo del nivel dejado por el franquismo, un nivel excelente, alcanzado contra el retraso histórico acumulado por la España convulsa entre principios del siglo XIX y 1939.

Como a menudo se ha anotado, este crecimiento guardó estrecha relación con una época de prosperidad europea. Seguro, pero de ningún modo constituyó, como pretenden diversos comentaristas, un simple reflejo pasivo de esa bonanza externa. Muy al contrario, la sociedad española, estimulada por la nueva política y los planes de desarrollo del Gobierno, aprovechó dicha bonanza con actividad y eficacia. España se convirtió en uno de los países de más impetuoso desarrollo del mundo, quizás el segundo después de Japón, entre las naciones de mediana envergadura. Debe descartarse por igual la idea, próxima a la sandez pero muy difundida, de que cuando se parte de un nivel económico muy bajo resulta fácil lograr índices de crecimiento elevados, de hasta el 10 % y más. Si tal fuera el caso, los países pobres crecerían sin dificultad a tales tasas, y pronto igualarían a los ricos. En la realidad, muchas veces comprobada, la pobreza engendra círculos viciosos en política y economía que obstaculizan el despegue, cuando no lo frustran. Sólo sociedades ya preparadas previamente y con una fuerte voluntad de superar sus atrasos logran salir de la pobreza, y España creció en esos años entre el 6 y el 9 % anual, tasas que nunca había alcanzado antes, a pesar de ser más pobre, ni volvería a alcanzar después.

Las bien conocidas carencias del país a finales de los años 50 no deben ocultar una serie de factores positivos, sin los cuales el desarrollo posterior habría sido menor o no habría ocurrido. Como vimos, la sociedad española había alcanzado índices de salubridad y expectativa de vida muy altos y una alfabetización casi general de la juventud. Disfrutaba además de una élite universitaria y técnica pequeña, pero bien preparada y emprendedora, de índices de delincuencia muy bajos y de seguridad ciudadana muy altos, y, en general, de una vitalidad que solía sorprender a los visitantes. La seguridad jurídica era también muy aceptable y la corrupción administrativa poco extendida. Este último aserto sorprenderá a muchos, dada la imputación de corrupto hecha al régimen de modo muy generalizado; pero un mínimo sentido crítico nos permite poner en duda, cuanto menos, tal acusación. Pues los más insistentes acusadores, que a su vez de jactaban de sus «cien años de honradez», han protagonizado en su momento la mayor oleada de corrupción conocida en España en el siglo XX... si se exceptúa la época de la guerra civil, cuando personas de la misma ideología dispusieron de las inmensas reservas del Banco de España y de los bienes «expropiados» al patrimonio nacional y a los patrimonios privados. Estos hechos constatados y documentados hacen difícil otorgar un crédito excesivo a las acusaciones de quienes de un modo u otro se identifican con ellos.

Uno de los mayores orgullos de Franco* y uno de los argumentos principales a su favor fue el auge económico de aquellos años. Con su sistema político el país disfrutaba del período de paz interior y exterior más prolongado en dos siglos y de una prosperidad nunca vista. Sin embargo, no todos los fenómenos surgidos de esa prosperidad le satisfa-

---

* Por entonces, Franco solía exponer en sus discursos las cifras del auge económico. Pero, por realismo casi pesimista, o por un peculiar sentido del humor, no confiaba mucho en el efecto de los datos. J. P. Fusi cita una anécdota de R. Baón en *La cara humana de un caudillo*: «En una ocasión, como se equivocara en una cifra al grabar su mensaje de fin de año y como el ministro de Información Arias Salgado insistiera en repetir la grabación, dijo: "No se preocupe, es lo mismo. Si el mensaje no lo escucha nadie."»[1]

cían. Repetidamente denunció los usos y actitudes «materialistas» que cundían por la sociedad y, a su juicio, la degeneraban moralmente. Las costumbres se europeizaban demasiado para su gusto. Aunque el término europeización tampoco resulte apropiado, por cuanto las modas y modos prevalentes en Europa reproducían, a su vez, los de Usa.

La *europeización* encontraba en el turismo un cauce privilegiado. La política económica de Madrid atendió preferentemente a la extensión multitudinaria de las vacaciones y a los viajes de placer en Europa y fomentó la construcción acelerada de una de las mejores infraestructuras turísticas del mundo en la relación precio/calidad. Ello permitió acoger cada año a más millones de visitantes, para indignación de la oposición en el extranjero, que organizó baldías campañas de sabotaje colocando bombas en las oficinas turísticas españolas y alguna que otra dentro del país o difundiendo textos de protesta y agitación por el estilo de éste: «Turista: ¡No hay sol en las cárceles de España!»

No sólo se trató del turismo. El abandono definitivo de la economía *castiza*, simbolizado en la derogación del ultraproteccionista «arancel Cambó» a principios de la década, y la aplicación de diversas recomendaciones del Banco Mundial permitieron la expansión de las fábricas por el país, superando la concentración excesiva en las provincias de Barcelona y Vizcaya. La sociedad dejó de ser agraria (cerca del 50 % de la población activa en 1950 y menos del 20 % al final del período) para transformarse en industrial y de servicios. Aumentó con rapidez el alumnado de enseñanza media y de formación profesional, y la universidad comenzó a masificarse; el régimen hizo un notable esfuerzo para transformar a cientos de miles de peones en trabajadores cualificados mediante cursillos *ad hoc*.

Los datos del enriquecimiento español en esa década y media han sido expuestos innumerables veces, y sin embargo es fácil constatar que la mayoría de la gente, en particular joven, ha llegado a ignorarlos o a endosarlos, como siempre, a cualquier cosa menos al franquismo, desmintiendo sus propias tesis previas según las cuales se trató de una dictadura asfixiante y omnipresente que, por tales características, no habría permitido en ningún caso la eclosión económica y cultural de esos años. No es raro oír argucias pintorescas, como que el bienestar material provino de factores «externos» como el turismo o la emigración. De creerlas, los turistas no precisan de carre-

teras, trenes y aeropuertos, instalaciones adecuadas, comidas apeteci-
bles o personal preparado y servicios generales de cierta calidad: les
basta con el sol. Y la emigración, interna y externa, forma parte de
los procesos de despegue económico en todos los países. En fin, volvemos a toparnos con el infantilismo argumentativo, al parecer inevitable cuando se trata de analizar la significación de Franco. Cualquier falsedad o falta de lógica quedan justificadas, para esas personas,
por la obligación de exhibir el mayor desprecio y aversión posibles al
Generalísimo. De ahí sólo puede resultar lo que resulta: una pérdida
del rigor intelectual y una literatura hueca.

Con la riqueza creciente y el estrechamiento de las relaciones con
los países vecinos aumentaron la conflictividad laboral y universitaria,
así como las actividades de la oposición política, cada vez más masiva
y violenta, aunque con grandes altibajos y sin lograr poner nunca en
riesgo al sistema. El mayor motivo de disgusto y preocupación para
Franco fue el cambio de actitud de la Iglesia durante y después del
Concilio Vaticano II, celebrado entre 1962 y 1965. El general había
definido su régimen, en multitud de ocasiones, como católico, de lo
cual acaso podía dudarse, y, fuera de cualquier duda, él había salvado
a la Iglesia, muy literalmente, del exterminio. A pesar de lo cual cons-
tataba entre el clero y la jerarquía eclesiástica una frialdad, y a menudo una abierta hostilidad hacia su régimen, fomentada, para colmo,
desde el Vaticano por el papa Pablo VI. El nuevo talante eclesial no
afectaba al conjunto de la Iglesia, pero sí a sectores de ella cada vez
más influyentes, y no traslucía convicciones liberales o democráticas,
sino una peculiar complacencia con el marxismo, e incluso con el terrorismo. De pronto surgían clérigos y órdenes religiosas mezclados
en tales actividades y grupos, a los cuales facilitaban locales de la Iglesia como cobertura para organizarse y hacer prosélitos,* por no hablar

---

* Suele olvidarse, pero las Comisiones Obreras, la Asamblea de Cataluña y
otras formaciones dirigidas por el PCE se formaron a menudo en locales eclesiásticos.
La ETA y otros grupos terroristas se beneficiaron especialmente de ellos, y en ellos se
montaron con frecuencia actos contra el franquismo. La gratitud de los partidos y
grupos beneficiados ha sido nula.

de las frecuentes homilías denunciando injusticias sociales con tonos y argumentos afines a los marxistas.

La nueva política de la Iglesia (de un sector de ella, pero en auge y dueña de un poder evidente) tenía al menos dos raíces. El concilio había preconizado el «diálogo» con el marxismo, debido probablemente a la impresión causada por la tremenda fuerza expansiva de esa ideología. No podía descartarse que la *guerra fría* —tan caliente y sangrienta en muchos lugares del mundo— entre los sistemas comunistas y el llamado capitalista terminara, y en un futuro quizá no lejano, con la victoria de los totalitarios. La Iglesia debía tenerlo en cuenta y propiciar actitudes más suaves y acomodaticias hacia ellos. Sin excluir la posibilidad de atraer a un número de marxistas al catolicismo, el objetivo central del diálogo parece haber sido construir un *modus vivendi* con ellos.

La segunda razón del enfriamiento eclesial hacia el franquismo nacía de un cálculo más inmediato. Franco (setenta y ocho años en 1970) no podía durar ya mucho, y, aunque siguiera en el poder hasta el fin de sus días y terminara éstos en la cama, su régimen no le sobreviviría, obviamente. Éste podría hasta caer de forma violenta, pues, conforme se liberalizaba, la oposición mostraba una mayor radicalidad y, desde luego, los gobiernos de la Comunidad Económica europea no iban a solidarizarse con él en absoluto. Vistas así las cosas, la Iglesia corría un serio peligro de sufrir efectos muy traumáticos por su anterior apoyo al Caudillo. En consecuencia, le corría prisa distanciarse de él y hacer patente su independencia, mientras fuera tiempo.

Los dos cálculos iban a mostrarse errados. El diálogo con los marxistas contribuyó a fortalecerlos, sin impedir por ello su final derrumbe —en el que había de incidir el cambio de la política vaticana ordenado por Juan Pablo II—. Con sus «diálogos», la Iglesia perdió a muchos fieles e introdujo en su seno una aguda crisis. Y Franco no sólo duraría en el poder hasta su fallecimiento, sino que los cambios a la democracia provendrían de su régimen y se aplicarían de forma pacífica, en lo esencial.

El hombre y su sistema político resultaron hasta el final mucho más fuertes que sus enemigos. No habría ocurrido así sin unos años de éxito económico en los cuales la sociedad se diversificó y complicó, generando nuevas tensiones internas, pero que, en síntesis, justificaban al franquismo ante la mayoría del pueblo.

CAPÍTULO XIII

¿Por qué duró tanto el franquismo?

Como régimen en toda España el franquismo duró 37 años, hasta uno después de la muerte de Franco, y 40 desde su comienzo en 1936. Este largo período de paz, al que deben sumarse los casi treinta de la actual democracia, rompe muchos tópicos simplones sobre el violento y caínita carácter español, por medio de los cuales se habían intentado explicar sus epilepsias políticas de los siglos XIX y primera parte del XX. El tópico ha adquirido tal arraigo que muchos no vacilan en extenderlo a toda la historia del país, cuando éste había sido uno de los más estables e internamente tranquilos de Europa durante los tres siglos anteriores, desde finales del XV.

No obstante, de creer a la mayoría de los analistas hostiles al Caudillo, de izquierdas o de derechas, el franquismo debería haber durado poco tiempo. ¿Cómo podría haberse consolidado en medio del apestamiento internacional, odiado por la inmensa mayoría de un pueblo que había experimentado las delicias de la República, y en especial por los catalanes y los vascos, vencidos como tales, en bloque, durante la guerra? ¿Cómo, si había perdido la canción, al decir del poeta?

Ciertamente hay tiranías sostenidas largo tiempo mediante una represión inclemente de las libertades de expresión y asociación, y una infiltración policíaca en el tejido social. La de Fidel Castro, por ejemplo, descansa en un aparato represivo imitado del nazi, con comités de control en las manzanas de casas y la consiguiente sensación de inseguridad, de estar todos vigilados por todos. Pero nada parecido funcionó en el franquismo y, a la muerte del dictador, España tenía menos presos que cualquier país europeo equivalente. Y entre ellos también pocos políticos, comunistas y terroristas en su inmensa mayoría, es decir, no muy buenos ejemplos de demócratas. Además, la dictadura castrista nunca tuvo que soportar un bloqueo parecido al de España en los años 40, y ha gozado de las simpatías y el apoyo no sólo del resto del bloque comunista, sino también de muchos gobiernos democráticos, exceptuando a Usa. La causa de la duración del franquismo ha de radicar, por lo tanto, en otra parte.

Ante todo debe admitirse que una importante masa de españoles encontraba en el régimen de Franco muchos rasgos positivos, y en capítulos anteriores hemos mencionado algunos de ellos. La imagen de un repudio popular casi generalizado, divulgada con increíble tenacidad por innumerables comentaristas, no resiste al menor análisis ni a la más elemental prueba de la memoria. Cuando escribí *De un tiempo y de un país*, anoté la gran dificultad que encontrábamos los antifranquistas para persuadir y movilizar a la gente, ya fueran obreros o estudiantes, aun siendo éstos, con todo, los sectores más «subversivos». De vez en cuando se oyen confesiones o lamentaciones de protagonistas de aquella resistencia reconociendo «qué pocos éramos los que luchábamos». Y si, muy ocasionalmente, lográbamos movilizar a miles de personas, era explotando reivindicaciones inmediatas, económicas y semejantes, a las cuales añadíamos de pegote consignas políticas más elevadas. Por supuesto, una dosis de miedo a la policía influía en la actitud de la gente, pero no conviene exagerar ese factor, sobre todo en los años 50 y más todavía en los 60, cuando la represión se suavizó mucho y el franquismo se liberalizó.

Al no existir elecciones entre partidos no hay posibilidad de medir la popularidad del franquismo —y, en particular, de Franco, más prestigiado que sus gobiernos—, dado que otro exponente, las masivas manifestaciones de apoyo que el general recibía en todas partes, es tachado a menudo de manipulación. Pero expondré dos indicios a mi juicio muy significativos: la emigración a los países desarrollados de Europa y la población reclusa.

Una manifestación del rápido cambio social y económico en el país consistió en la eliminación del viejo problema agrario por la vía más racional: la emigración de millones de agricultores a quienes el campo nunca podría dar de comer. El grueso de los emigrantes arribó a las ciudades españolas, pero una parte considerable marchó a países como

Francia, Alemania, Suiza o Gran Bretaña, adonde afluían también cientos de miles de italianos, griegos, portugueses, yugoslavos y otros. Suele hablarse de tres millones de trabajadores españoles idos más allá de los Pirineos entre los años 1960 y 1974, pero el número real asciende probablemente a la mitad. Al revés que en las clásicas emigraciones a ultramar, no se trató, en la mayoría de los casos, de una emigración permanente, pues la cercanía de los países de destino y la práctica ausencia de desempleo en España, sumada al aumento constante de los salarios, facilitaban un frecuente ir y venir de la mano de obra.

Estos emigrantes tenían, en principio, todas las razones para detestar al franquismo. Muchos de ellos, salidos de regiones especialmente conflictivas antes de la guerra civil, podían cargar sobre la dictadura una pobreza que los obligaba a dejar a sus parientes y al entorno familiar, y en los países de destino comprobarían la diferencia no sólo de riqueza, sino de libertades políticas. Debían constituir, por lo tanto, un medio muy proclive a la propaganda de la oposición antifranquista, la cual operaba en el extranjero con libertad e incluso con protecciones políticas, al calor de la leyenda de su lucha por la democracia en España. Y el frecuente ir y venir de los trabajadores debía facilitar extraordinariamente la organización de núcleos de resistencia en el interior.

Pues bien, como sucedió con el maquis, no se cumplieron estas expectativas, en apariencia tan razonables. Los emigrantes, en su vasta mayoría, se interesaron muy poco por cualquier actividad contra Franco, lo mismo en los países de acogida que al volver a su patria. Naturalmente sería falso catalogarlos como activos franquistas o cosa por el estilo. Más justo sería decir que no se sentían incómodos con el régimen. Éste restringía severamente las libertades políticas, pero permitía una amplia libertad personal, que en parte pondría de manifiesto Solzhenitsin cuando visitó el país y levantó tan gran escándalo en la oposición.* Julián Marías ha observado también la escasa preocupación popular por la ausencia de dichas libertades, y J. P. Fusi cita a R. Rossanda, una comunista italiana que visitó el país en 1962:

> No era una sociedad política silenciada (...) no amordazada, sino vacía o dotada de otros lenguajes.[1]

---

* Véase en los apéndices un resumen del revelador incidente.

Se ha acusado a Franco de explotar constantemente el resorte psicológico de la guerra, pero el argumento tiene doble filo en boca de quienes lo emplean. Porque la memoria de la guerra debiera haber reavivado la de los días libres y felices —según los críticos— de la República. Por lo demás, es cierto sólo a medias. Aunque la guerra permaneció, lógicamente, como referencia obligada en la propaganda del régimen, el paso del tiempo la transformó en una alusión retórica y un tanto abstracta, y en los años 60 impresionaba a poca gente. La baza clave del franquismo, una vez superado el boicot internacional y la autarquía, consistió en aquella prosperidad sin precedentes que arruinaba las acusaciones de sus contrarios. En cuanto a la República, muy pocos la miraban con nostalgia. En la mente de la mayoría quedó como un episodio oscuro y lamentable de desorden, violencias y arbitrariedades contra la derecha y la religión, y también entre las propias izquierdas.

Y en cierto sentido existía una notable calidad de vida, si tal cosa puede definirse. Normalmente se emplea el concepto para medir la cantidad y calidad del consumo, lo cual implica una trivialización extrema de la vida humana, pero tal vez cabría acercarse a un concepto más apto mediante índices negativos, como los de fracaso matrimonial, suicidio, delincuencia, hijos con padres divorciados, expansión del alcoholismo y las drogas, perturbaciones psicológicas no achacables a factores físicos, fracaso escolar, aborto, esperanza de vida y otros parecidos. En la mayoría de estos índices, España estaba bastante mejor que el resto de Europa, y en esperanza de vida al nacer llegó a superar a los demás países, salvo a Suecia. Consiguientemente, su «calidad de vida» estaba por encima, en general, de la media europea, y así lo percibían, de forma más o menos aguda, muchos españoles, incluidos los emigrantes.

En cuanto a los presos, esperablemente numerosos en una tiranía policíaca, eran en realidad muy pocos, una de las cifras más bajas de Europa. En 1960 ascendía a 15.200, casi todos comunes, y bajó constantemente cada año hasta los 10.700 en 1966. Sólo en el primer bienio republicano hubo una bajada tan sensible, pero con un significado muy distinto: la liberación de presos durante la República respondió casi siempre a medidas demagógicas, pues no vino respaldada por una disminución de la delincuencia, sino por un auge brutal de ella. En los años 60, el corto número de reclusos reflejaba una delincuencia también muy reducida.*

La población carcelaria volvió a crecer, pero sin superar cifras bajas, a partir de 1968, con 12.100 personas, llegando a 13.900 en 1970 y a un máximo de 14.700 en 1974, con alguna caída intermedia. La causa de este aumento se aprecia con facilidad: en esos años coincidió un aumento de la delincuencia común —entre otras cosas la droga empezó a penetrar en la sociedad española— con la intensificación de las actividades comunistas y la aparición de la ETA. Es difícil saber el número de presos políticos dentro del conjunto, pero probablemente no pasó de dos mil, si llegó a tanto, en el momento de máxima represión, cifra no muy apabullante para un país de más de 35 millones de habitantes en pretendida rebeldía abierta o latente. Normalmente no pasaban de unos centenares.

Información de interés al respecto la ofrece el historial del Tribunal de Orden Público (TOP), constituido en 1963 para afrontar la creciente actividad antifranquista. En sus trece años hasta su disolución en 1977, el TOP produjo 9.000 condenas, menos de 700 al año. Los procesados en ese período sumaron 11.261, a quienes el tribunal impuso 10.146 años de prisión, es decir, en torno a un año por persona.[2] Por lo tanto, la gran mayoría de ellos no debió entrar en prisión, pues las penas inferiores a un año no solían cumplirse en la cárcel. Y las penas superiores rara vez, si alguna, se cumplían íntegras. No puede hablarse, definitivamente, de una resistencia numerosa o peligrosa para el régimen. La pintura, tan habitual hoy, de un pueblo humillado y descontento, fuente de una continuada e intensa resistencia a Franco, tiene muy poco en común con la realidad histórica. La inmensa mayoría no sentía humillación ni rebeldía.

La duración del régimen queda mejor explicada todavía mediante el examen cualitativo del antifranquismo. Recuerdo cómo mi primera aproximación a la oposición, en París, en 1966, se saldó con una

---

* Como dato comparativo, los presos, en la actualidad, ascienden a 60.000, un número algo superior a la media europea. En los años 80 y 90, la cifra se situó en torno a los 25.000-40.000, acompañada de una delincuencia muy superior a la de los años 60-75, tanto en términos absolutos como en proporción a los reclusos. Las condiciones de encarcelamiento han empeorado, como indica el elevado número de suicidios, agresiones entre los presos y enfermedades contraídas en prisión, especialmente el sida.

decepción: aquellos personajes me describían una España de cárceles, hambre e ignorancia muy distinta de la que yo conocía, y, lo más patético, gente con muchos años en el extranjero pretendía conocer los hechos mejor que yo. Esta remembranza quizá suene a mero subjetivismo, pero quien lea la propaganda de aquellos partidos comprobará su sectarismo y alejamiento de la vida real. ¡Quién me diría que, pasados unos años, repetiría yo las mismas sandeces con no menos furia...! Tal es la fuerza sugestiva de las ideologías. En fin, se trató de una oposición encadenada a los estereotipos izquierdistas y jacobinos de la guerra. El país había cambiado profundamente, y los enemigos del régimen, con verdadero fanatismo, rehusaban mirar la realidad, pero además lanzaban los peores insultos y excomuniones contra quienes se la ponían ante los ojos. Según sus esquemas mentales, franquismo equivalía a miseria, oscurantismo y represión masiva, y quien lo creyera compatible con el progreso económico, la cultura o cualquier grado de libertad sólo podía ser un agente de Franco. Contra esa convicción de cemento se estrellaban datos y argumentos. Hablo tanto de la oposición pasiva como de la activa o comunista.

El PCE, no obstante, a causa de sus derrotas en el maquis y de su muy lento desarrollo posterior, había adquirido cierto realismo, y había diseñado una estrategia más hábil. Fruto de ella serían, en los años 60, éxitos relativos como las Comisiones Obreras, que lograron promover huelgas bastante amplias e infiltrarse en los sindicatos oficiales; o el Sindicato Democrático de Estudiantes, que consiguió demoler al sindicato estudiantil falangista (SEU). También se infiltró en el cine y la prensa (una de las revistas más difundidas, *Triunfo*, tenía un carácter criptocomunista muy poco críptico, pues nadie lo ignoraba). Éxitos muy relevantes si los contrastamos con las continuas frustraciones del pasado.

Ahora bien, aun cuando el PCE utilizaba para movilizar a las masas mil argucias, desde reivindicaciones muy inmediatas hasta las libertades *burguesas* o la reconciliación nacional, no constituía ni por lo más remoto un partido democrático. Marxista-leninista, aspiraba a implantar en España un régimen inevitablemente parecido al soviético, mantenía relaciones privilegiadas con regímenes tan siniestros como los de Ceaucescu de Rumania, Kim Il Sung de Corea del Norte o Honnecker de Alemania Oriental y explotaba la reivindicación de libertades como un instrumento para «avanzar» hacia el *socialismo real*. La historia del partido, para quien la conociera un poco, no podía resultar más revelador: su pistolerismo inicial, su sabotaje a la República, su pretensión de arruinar la democracia liquidando a la derecha en pleno, su estalinismo exaltado, su sanguinario despotismo durante la guerra civil, su intento de reanimar dicha guerra en la segunda mitad de los 40, las cruentas purgas en su propio seno...

El proceso y ejecución en Madrid de Julián Grimau, dirigente del PCE, en 1963, fueron sintomáticos. En Europa y América se desató una intensísima campaña de protesta, con participación no sólo de comunistas, sino también de socialistas y otras formaciones más a la derecha. En Italia y Francia salieron a la calle masas de manifestantes, y hubo boicot a los productos españoles, pero también hubo movilizaciones en Holanda, Bélgica, Escandinavia Cuba, México, Argentina, etc., y en los países del bloque comunista. Grimau aparecía como un mártir de la libertad. Los cargos contra el jefe comunista se referían a su etapa, en la guerra civil, como uno de los principales jefes de la represión revolucionaria o chequista. Sus camaradas le han defendido contra las acusaciones, pero represión entonces significaba terror, es decir, torturas y asesinatos, y los testimonios presentados en su contra resultaban impresionantes. Por tales responsabilidades arriesgaba mucho más, al volver a España, que otros dirigentes, y Jorge Semprún, buen y directo conocedor de las interioridades del PCE, ha acusado a Carrillo por ello, dejando entrever peleas internas dentro del partido. Normalmente la opinión de izquierdas manifiesta escasa emoción ante los testimonios de torturas y asesinatos cuando las víctimas eran derechistas. No obstante, el POUM y los anarquistas han acusado a Grimau de las mismas prácticas en relación con militantes suyos.*

---

* Por ejemplo, en relación con varios poumistas acusados a su vez de haber asesinado al capitán Narwicz, de las Brigadas Internacionales. Narwicz había actuado como provocador y confidente dentro del POUM. La investigación, con todo lo que ello significaba, fue dirigida por Grimau, que en noviembre de 1938 recibiría felicitaciones oficiales por su celo y eficacia en la persecución de la *quinta columna* y de los «trotskistas», según fuentes anarquistas.[3]

El 6 de mayo de 2005 los grupos comunista y socialista hicieron aprobar en la Asamblea de Madrid una proposición para que ésta instase al Gobierno «a proceder de manera inmediata a la rehabilitación ciudadana y democrática de la figura de Ju-

A pesar de la trayectoria y la doctrina totalitaria del PCE, cierta historiografía, no necesariamente marxista, ha pintado a ese partido como el rompehielos de la libertad o ha encubierto, bajo el marchamo de «movimiento democrático», la inspiración y manipulación comunista de organismos falsamente plurales, como las citadas Comisiones Obreras o la Asamblea de Cataluña. Los comunistas procuraron siempre, conviene insistir en ello, actuar bajo siglas en las que el calificativo «democrático» era de rigor. Con todo, el PCE nunca logró ocultar del todo el revanchismo y la tiranía connaturales a él.

A lo largo de los años 60 surgieron numerosos grupos llamados maoístas, predicadores de la violencia inmediata y próximos al terrorismo *(lucha armada)*, que algunos llegarían a practicar. Procedían de la ruptura del movimiento comunista internacional en dos orientaciones capitaneadas respectivamente por Moscú y Pekín.

Pero el suceso de mayores consecuencias en esta época fue la entrada en acción de la ETA a finales de los años 60, cuando el franquismo se había liberalizado considerablemente. Grupo comunista o muy próximo al comunismo, y radicalmente antiespañol, la ETA había nacido diez años antes, pero no había pasado de uno de tantos círculos de exaltados a quienes pocos tomaban en serio. Sin embargo, en 1968 cometió su primer asesinato, y entonces todo cambió: pronto el grupo se vio rodeado del cálido aplauso y apoyo de casi toda la oposición, de un amplio sector del clero vasco y no vasco, y de gobiernos extranjeros, en particular el francés, que le proporcionó un inestimable refugio o *santuario* junto a la frontera española, desde el cual podían los etarras planear sus atentados y retirarse a lugar seguro. La hostilidad de los gobiernos eurooccidentales a Franco cuajaría posteriormente en campañas de solidaridad con los terroristas cuando éstos fueran sometidos a juicio en España, sin mostrar el menor sentimiento hacia las víctimas. El sector autodenominado progresista de la prensa española también procuraba informar sobre los atentados de modo favorable a los asesinos. Con tales nutrientes creció una organización que llegaría a convertirse en la pesadilla de la democracia española.

---

lián Grimau, incluyendo la indemnización que corresponda, como hombre que padeció la represión del régimen franquista por defender la libertad y por profesar convicciones democráticas».

El caso de la ETA revela el carácter de la oposición antifranquista. La mayoría de ella, desde luego, no era terrorista, pero incluso la más pacífica solía ver en los pistoleros a jóvenes idealistas no muy despiertos, autores de un trabajo conveniente, aunque sucio. Cuando cayera el régimen, los idealistas poco despiertos volverían a sus casas con título de héroes, y las rentas de la sangre derramada las recogerían los antifranquistas más «serios», más «expertos» y más «políticos». Juego practicado por las izquierdas desde las primeras décadas del siglo y poco antes de la República en relación con el terrorismo ácrata. Y siempre con el mismo error en las cuentas.

¿Qué ocurrió con otras oposiciones, como las de los nacionalistas catalanes y vascos, la de los republicanos, la socialista o la anarquista? Los ácratas llevaron a cabo campañas poco sistemáticas de atentados a finales de los años 40 y principios de los 50, también pusieron alguna que otra bomba a mediados de los 60, sin influir para nada en la sociedad. Los nacionalistas catalanes y vascos vivieron tranquilamente dentro y fuera de España y no dieron problemas dignos de mención a la dictadura. Lo mismo cabe decir de los socialistas. Bastantes viejos militantes de esos grupos ingresaron en instituciones del régimen, incluso en la Falange. Sólo hacia el final del franquismo, ya en los años 70, se reorganizaron los partidos nacionalistas y el PSOE, con evidente permiso de la Guardia Civil y ayudas de origen no siempre claro, ya que el Gobierno y diversos intereses extranjeros creían a esos partidos posibles contrapesos de la ETA y el PCE.* Los republicanos no volvieron a levantar cabeza.

No hay exageración, por lo tanto, en el aserto de que la oposición

* Trato con cierto detalle estas evoluciones en el capítulo «Últimos tiempos del franquismo», de *Una historia chocante. Los nacionalismos vasco y catalán en la España contemporánea*. Pese a su resistencia prácticamente nula y a la «comprensión» de que disfrutaron al final por parte del régimen, socialistas y nacionalistas extremarían en la democracia los colores sombríos para describir el franquismo. La pregunta salta en seguida a la lengua: si tan intolerablemente opresor resultó aquel Estado para vascos, catalanes y españoles en general, ¿cómo sus partidos no hicieron contra él algo que valga la pena recordar? Claramente han exagerado mucho, tanto las fechorías achacadas a Franco como su presunta lucha contra la dictadura. Tampoco cabe llamar democráticos a los nacionalismos vasco y catalán: en la medida en que han conseguido la hegemonía en las respectivas regiones, han hecho retroceder las libertades, al punto de que en Vascongadas no existe una verdadera democracia.

fue ante todo y en todo momento comunista o terrorista, y lo mismo, evidentemente, la inmensa mayoría de los presos políticos. La oposición, entonces, tenía un carácter mucho más totalitario y antidemocrático que el régimen combatido, y difícilmente podía constituir una alternativa política razonable para la inmensa mayoría de los españoles de cualquier región.

Así pasó hasta con organismos amplios, tipo Sindicato de Estudiantes, Comisiones Obreras o Asamblea de Cataluña, teóricamente ajenos al PCE, pero en realidad creados y dirigidos por él. Este hecho, bien conocido, no impidió entrar en ellos a multitud de grupúsculos del más variado cariz. La Asamblea de Cataluña, ya muy tardía (1971), integraba, por ejemplo, a 25 organizaciones, casi todas insignificantes. Casi la mitad de las siglas eran nacionalistas, entre las que destacaba el proterrorista PSAN (Partit Socialista de Alliberament Nacional), sin faltar trotskistas y maoístas preconizadores de la lucha armada, mezclados con pacifistas y cristianos de base, más algunos socialistas y democristianos, congregados, al parecer sin problemas, bajo la batuta del PSUC, el sector del PCE más renuente, ya en la democracia, a abandonar el marxismo-leninismo.

Llama poderosamente la atención el hecho de que la suavización del régimen y el bienestar en aumento no alentasen una oposición liberal algo amplia y que, en cambio, la oposición real tendiera a radicalizarse incluso en sentido terrorista. Me inclino a creer que la actitud de los no abundantes liberales y demócratas podría describirse con las palabras ya citadas de Marañón contra la «estupidez y canallería» de las izquierdas y los nacionalistas: «¿Cómo poner peros, aunque los haya, a los del otro lado?» Hasta el mismo final no existió alternativa viable al régimen, y un aspecto más de esa ausencia de salida razonable era precisamente la radicalización de los antifranquistas.

Lo más aproximado a un acto de oposición democrática consistió en la reunión de junio de 1962, en Munich, de 118 opositores liberales, socialdemócratas, monárquicos, democristianos, separatistas vascos e incluso marxistas del PSOE y del Frente de Liberación Popular. Buscando una salida para España, recomendaron el cierre del Mercado Común Europeo al franquismo. Destacaron en el encuentro Salvador de Madariaga, Gil-Robles y varios antiguos franquistas como Satrústegui, Ridruejo o Álvarez de Miranda. Ninguno tenía detrás un partido de alguna entidad o representatividad, pero pensaban aunar esfuerzos entre ellos, excluyendo a los comunistas, aunque no osaran condenarlos abiertamente. La iniciativa surgió, probablemente, de la mezcla de susto y esperanza causada por la oleada huelguística de aquella primavera, originada en la minería asturiana y extendida a Vizcaya, Madrid y otras provincias, hasta afectar a unos 100.000 obreros.* Las huelgas, fundamentalmente espontáneas y con aspiraciones laborales limitadas, no adquirieron excesiva envergadura, pero al estar prohibidas entrañaban un reto al Gobierno. Muchos creyeron hallarse ante el comienzo de un movimiento desestabilizador de vasto alcance, capitaneado por el PCE. Temieron entonces un rápido declive del franquismo, que sería aprovechado por la oposición activa (comunista), y quisieron adelantarse a los acontecimientos. De nuevo un falso cálculo.

Franco tomó muy a mal el episodio. Aparte del perjuicio que le causaba en relación con el Mercado Común, y por sus declaraciones contra el régimen, consideró a los de Munich compañeros de viaje del comunismo y aventureros políticos, cuyas maniobras sólo podían abocar, como en el pasado, a alteraciones revolucionarias. Con Gil-Robles se había entendido muy bien en 1935, cuando éste ejercía de ministro de la Guerra y él de jefe del Estado Mayor, pero le había cobrado desprecio tras las presiones del político en torno a don Juan para derrocarle, al término de la guerra mundial.** En consecuencia desencadenó una campaña desproporcionada contra el «contubernio de Munich», intento de reeditar el Pacto de San Sebastián, a su entender. Arrestó momentáneamente a varios asistentes y desterró a otros a diversos puntos del país. Gil-Robles, residente en España desde 1953, y algunos más, prefirieron quedarse en el extranjero.

Y así terminó el incidente, sin mayores repercusiones internas, aunque aumentase la hostilidad de diversos partidos y gobiernos europeos hacia Franco. Posteriormente algunos liberales de entonces apa-

---

* En aquellas huelgas nacieron espontáneamente las Comisiones de Delegados, al margen de los sindicatos oficiales. El PCE las transformó hábilmente en las Comisiones Obreras.

** Al conocer sus contactos con Llopis, máximo dirigente socialista a la sazón, comentó: «¡Qué pronto se ha olvidado de que una de las víctimas señaladas después del asesinato de Calvo Sotelo iba a ser él, que se libró por milagro!» No después, sino al mismo tiempo, como se recordará. Se libró por estar de viaje.

recerían en asociación muy laxa con los comunistas, única oposición real, después de todo, aunque harto contaminante para sus socios, y a duras penas una verdadera alternativa.

Al margen de estos movimientos, el ambiente social y el mismo franquismo fueron liberalizándose de modo paulatino y finalmente acelerado. Por esa razón la evolución a la democracia iba a transcurrir sin demasiados traumas, a partir de los propios seguidores del Generalísimo y en contra de las expectativas y deseos protagonistas de la oposición.

CAPÍTULO XIV

El franquismo y la Transición

Dentro del franquismo, como quedó indicado, convivieron desde el principio dos concepciones distintas. Una consideraba al sistema la definitiva superación no sólo del comunismo, sino también de la democracia liberal; la segunda lo entendía como un expediente transitorio, nacido de unas circunstancias históricas excepcionales. Para los primeros, el régimen no era una dictadura, sino una democracia más auténtica, o en todo caso más acorde con la tradición española, que la liberal.* Para los segundos se trataba claramente de una dictadura, aunque en el sentido positivo de la misma, una solución extrema a una crisis extrema. Lo único anómalo sería que una dictadura se concibe para un tiempo corto, y aquélla resultó extraordinariamente prolongada.

Franco comulgaba, desde luego, con la primera concepción, y a ella se atuvo hasta el final, pese a columbrar en el horizonte cambios más profundos de lo que le agradarían. Repetidamente expresó la idea de que

> los regímenes del mundo futuro serán más parecidos a los que nosotros concebimos y tenemos en marcha que a cualquiera de las fórmulas políticas ya experimentadas,

y en 1967 peroraba:

---

*   Véase Gonzalo Fernández de la Mora, uno de los intelectuales más destacados no sólo del régimen, sino también de la España de entonces, «Franco, ¿dictador?», en VV. AA., *El legado de Franco*, Madrid, 1997.

Nos ha tocado vivir una época difícil, que tiene caracteres de verdaderos tiempos revolucionarios. En un espacio relativamente corto hemos visto cambiar muchas costumbres y aun principios morales largo tiempo vigentes han pasado a ser materia de discusión. Este ambiente de cambio y reconsideración ha afectado en grado más acusado a los sistemas económicos y sociales y a las fórmulas de convivencia internacional. Las transformaciones de la sociedad contemporánea, unas mejores y otras peores, son en su conjunto síntomas de una época de extraordinaria vitalidad y de una aceleración histórica importantísima en la vida de la humanidad. Pero no es extraño que tales cambios afecten de forma difícilmente previsible a los pueblos y pongan en peligro muchas veces su paz, su tranquilidad y sus tradiciones. Gracias a Dios nosotros hemos conseguido, sin cerrarnos al signo positivo de la historia, superar los riesgos que este ambiente de cambios comporta, manteniéndonos en una línea firme de paz y progreso, sin perder nunca el sentido de la realidad, ni de la fidelidad a unas esencias que constituyen nuestra más interna fortaleza.[1]

En cualquier caso, y de forma subterránea, casi inconsciente, en los últimos diez años se iba imponiendo la segunda concepción, inevitablemente reformista. Tiraban en esa dirección las propias iniciativas del régimen hacia Europa occidental, a la cual se acercaba deliberadamente en lo cultural y económico. El propio desarrollo iba integrando a España en la economía conjunta, y Madrid tanteó el ingreso en la Comunidad Económica Europea (CEE) en 1962, poco antes del «contubernio de Munich». Esperaba que la integración no tuviera exigencias políticas, sino meramente económicas, pero pronto los gobiernos eurooccidentales decidieron exigir una democracia liberal como condición para la entrada. España quedaba, en ese sentido, marginada nuevamente. No fue un problema serio, porque el bienestar material, lejos de disminuir, aumentó aún, superando las tasas de la CEE, y la excelente diplomacia de que casi siempre dispuso el franquismo conseguiría en 1970 un tratado preferencial muy favorable con la Comunidad Europea, superior en varios aspectos a las condiciones de adhesión firmadas, por fin, ya entrada la democracia.

La Europa occidental permaneció, no obstante, como horizonte y referencia fundamental de futuro para el régimen, con lo que éste laboraba en cierto modo contra sí mismo, aunque esperase mantener un equilibrio y preservar su existencia.

A lo largo de los quince años de prosperidad, el franquismo se liberalizó muy considerablemente, no tanto en términos formales como en la práctica. Quedó abolida la censura de prensa, y aunque las responsabilidades exigidas a los periodistas seguían siendo excesivas, así como los castigos y las multas, de hecho se desarrolló un pluralismo muy apreciable. Aparecieron publicaciones críticas con el régimen, y de bastante difusión, como los diarios madrileños *Nuevo Diario* o *Madrid*, y revistas, entre las que destacaría *Cambio 16*. No sólo las actitudes liberales cundieron en los medios de masas, sino también, y más todavía, las próximas al comunismo e incluso al terrorismo. Lo reconocería Juan Tomás de Salas, director de *Cambio 16*, publicación claramente antifranquista, y muy leída:

> La gente que estaba en este tipo de prensa, que además era la prensa que tenía mayor credibilidad, mayores lectores, y no estoy hablando solamente de nuestra publicación, sino de varias otras, de alguna manera nos habíamos sentido muchos años solidarios de ETA.

Expresiones parejas han sido formuladas por intelectuales como Aranguren o periodistas como J. L. Cebrián, aunque éste estuviera por entonces haciendo carrera en el aparato de prensa franquista. La revista *Triunfo*, popular en medios universitarios, ya he dicho que era claramente procomunista. Otra, también influyente, *Cuadernos para el diálogo*, difundía posturas marxistas desde el cristianismo, movimiento muy en boga por aquellos tiempos.[2]

Las penas por actividades juzgadas subversivas también descendieron mucho, si bien tales actividades, a menudo en forma de pequeñas manifestaciones de unas decenas o algún centenar de personas, acompañadas de violencias como vuelco de coches, rotura de escaparates, etc., se hacían cada vez más frecuentes.

Dentro del régimen, las corrientes liberalizadoras que lo consideraban transitorio, aunque no lo dijeran en voz alta, pesaban cada vez más. Los sectores partidarios de guardar las «esencias» perdían terreno y, si bien temidos, recibieron el mote de «búnker» y continuos ataques y burlas de la oposición y de la mayoría de la prensa. Sus reacciones

viscerales y violentas, causando destrozos en alguna exposición de gra-
bados de Picasso o en librerías izquierdistas, no le procuraban popularidad precisamente, y eran explotadas muy a fondo por los comunistas
y la prensa *progresista*.

Franco conservaba su tradicional realismo, pese a sufrir la enfer-
medad de Parkinson cada vez más evidentemente. Un testigo de interés
es Vernon Walters, colaborador de varios presidentes useños para misio-
nes diplomáticas delicadas. Cuando Nixon visitó España, en octubre de
1970, vio primero a Carrero Blanco, que habló con pesimismo del declive moral de Occidente y comentó: «Los bárbaros esperan fuera de las
murallas.» Franco manifestó mucho más optimismo. Advirtió sobre las
intenciones del Kremlin, pero observó que la economía soviética quedaba cada vez más retrasada a causa del desproporcionado esfuerzo arma-
mentístico y la escasa atención a las necesidades de consumo de la gente. «Añadió que había más automóviles matriculados en la provincia de
Madrid que en toda la URSS.» Las relaciones de Washington con Franco habían alcanzado bastante calidez, posibilitando, por ejemplo, que se
mostrasen al general informaciones confidenciales rara vez enseñadas a
extranjeros.

Al año siguiente, Nixon, preocupado por la evolución de España,
comisionó a Walters para que hablase al respecto con el Caudillo, en solitario. Walters objetó que hablar a alguien de su muerte, y más a un
dictador con tan larga trayectoria, resultaría demasiado crudo, y también muy difícil que accediese a una entrevista a solas, aparte del problema de hacerlo al margen de la propia embajada useña. Nixon insistió, y la entrevista se produjo, aunque con la presencia del ministro de
Exteriores, López Bravo. Sobre la entrevista, Walters ha escrito en *The
mighty and the meek*:

> Le entregué la carta de Nixon y su mano tembló levemente al
> cogerla. Nixon escribía que el presidente de Usa tenía pesadas res-
> ponsabilidades en el mundo, y estaba muy preocupado por la evolu-
> ción del Mediterráneo occidental. Franco contestó que lo que real-
> mente interesaba a Nixon era lo que pasaría en España después de su
> muerte. Contesté simplemente: «Sí, general, eso es» (...) Entonces
> dijo que la sucesión sería ordenada, porque no había alternativa. Es-
> paña marcharía un largo tramo hacia la democracia propiciada por

nosotros junto con los británicos y los franceses, pero no hasta el final, porque España no era Usa, Gran Bretaña o Francia. Expresó su absoluta confianza en que el príncipe sabría manejar la transición después de su muerte. Mucha gente dudaba de que las instituciones creadas por él funcionarían, pero se equivocaban (...).

El general Franco se levantó para indicar que la reunión había terminado (...) «Diga al presidente Nixon que tenga confianza en el buen sentido del pueblo español.» No habría una segunda guerra civil. Todos podíamos esperar el futuro con confianza en España. Él tenía fe en Dios y en el pueblo español. Al irme me estrechó la mano y me dijo, casi en un susurro: «Mi verdadero monumento no será la cruz del Guadarrama. Mi verdadero monumento será lo que no encontré cuando me encargué del Gobierno de España, la clase media española» (...) Fue la última vez que vi a Francisco Franco Bahamonde, Caudillo de España y Generalísimo de los Ejércitos.

Según volvía a Madrid en coche me preguntaba cuántos estadistas serían capaces de discutir sobre su propia muerte de modo tan desapasionado como él. Su carácter no correspondía al del español excitable y gárrulo imaginado por tantos noreuropeos y useños».[*3]

En *My silent missions*, Walters da una versión ligeramente distinta en dos puntos: no menciona las palabras de Franco sobre la clase media, y a la capacidad del Príncipe para manejar la situación añade la observación de que las Fuerzas Armadas no consentirían el desorden.[4]

El testimonio, proviniendo de un hombre tan experimentado e inteligente como Walters, tiene auténtico valor. Decir que no existía clase media en España antes de Franco es muy exagerado, pero, indiscutiblemente, bajo su régimen la clase media se extendió hasta volverse absolutamente mayoritaria y abarcar a un buen sector de los obreros, cada vez menos proletarizados al haberse hecho propietarios de su casa y disponer de coche, electrodomésticos, etc. También el optimismo de Franco al respecto resulta algo excesivo: antes de la guerra Cataluña era la región española con una mayor clase media, y también, probable-

---

* También reseña la impresión de Eisenhower después de su entrevista con Franco en 1959: «*He is nothing like the guy the press portrays*» (No se parece en nada a como lo pinta la prensa).[5]

mente, la más convulsa, debido a la acción combinada del anarquismo y el nacionalismo. Y las Provincias Vascongadas, que saldrían del franquismo como las de mayor renta per cápita de España, iban a convertirse en la región más violenta y menos democratizada, con diferencia, y también por la combinación de terrorismo y nacionalismo. Con todo cabe coincidir con el aserto de que una abundante clase media tiende a estabilizar un país, aun si no lo garantiza. Y que el éxito de la Transición democrática se deberá en muy alta medida al previo éxito socioeconómico del régimen de Franco.

También parece que Franco aceptaba las presiones democratizadoras, o al menos se resignaba a ellas, no viendo posibilidad de resistirlas largo tiempo. Pues, aun más que las influencias externas, empujaba en esa dirección la dinámica de la sociedad española y del mismo régimen.

La situación se clarificó perfectamente a finales de 1973 con motivo del asesinato del almirante Carrero Blanco, jefe del Gobierno y algo así como eminencia gris del régimen. El examen del suceso permite distinguir con nitidez tanto la postura de la oposición como la separación de campos dentro del propio franquismo.

El atentado se debió a la ETA,* en el momento en que casi toda la oposición se volcaba en una magna campaña agitativa, dentro y fuera de España, por el llamado «Juicio 1001» contra los líderes de Comisiones Obreras, a quienes se pedían penas inhabituales y desorbitadas, de hasta veinte años (serían luego rebajadas a menos de un tercio). Tan pronto se conoció la muerte de Carrero, los acusados temieron a su vez por sus vidas, pero la policía garantizó su seguridad. Entonces la campaña por el «1001» se paralizó, y no desfigura mucho las cosas la frase de que la oposición se escondió bajo la cama, temiendo que el régimen reaccionara imponiendo el «búnker» y liquidando la anterior liberalización. La debilidad e impotencia de los antifranquistas no pudieron quedar más de relieve. También se escondió doblemente la ETA, inca-

* No voy a entrar aquí en las frecuentes, y en general vacuas, lucubraciones sobre otras autorías, la intervención de la CIA o del KGB, etc. Nunca se ha encontrado indicio cierto de nada de ello, y mientras esto no cambie, debemos dar a esas especulaciones idéntico valor que a las referentes a ovnis y similares. La cuestión clave, desde el punto de vista historiográfico, consiste en dilucidar los efectos y la significación política del hecho, sean cuales fueren sus autores.

paz de explotar políticamente su tremenda provocación, ni de orientar sus consecuencias.

Por lo tanto, la situación iba a evolucionar exclusivamente dentro del propio franquismo: ¿se impondrían los guardianes de las esencias o los partidarios de las reformas? El conflicto, muy real, se manifestó en las severas órdenes del general Iniesta Cano, director de la Guardia Civil, para que esta fuerza ocupase las ciudades y disparase al menor conato de concentración o resistencia izquierdistas. Sin embargo, los elementos reformistas, encabezados por Torcuato Fernández Miranda, anularon tales medidas y mantuvieron la normalidad.

En ciertos análisis historiográficos, la ETA aparece como la auténtica promotora de la democracia, al haber asesinado al cargo más elevado que actuaba en el régimen como valladar frente al cambio. Idea no menos peculiar que la de un Stalin campeón de la libertad de España, en la que insisten implícita o explícitamente tantos supuestos historiadores. La realidad es la contraria: el atentado estuvo muy cerca de desencadenar una involución, y para detenerla carecían de fuerza en absoluto la oposición terrorista y la no terrorista. Además, Carrero, sin estar entre los más liberales, tampoco pertenecía al «búnker», el cual venía mostrando irritación contra sus palabras y actos. Lo que hizo el atentado fue sacar a plena luz dos fenómenos: la escasísima influencia de la oposición, incluidos los terroristas, y la hegemonía de los elementos reformistas dentro del régimen. En otras palabras, la Transición había empezado y sólo podría realizarse, salvo imprevisibles contorsiones políticas, a partir del régimen mismo.

La salida reformista de la crisis hizo entonces sólo cuestión de tiempo, previsiblemente poco tiempo, los cambios en sentido democratizador. Quizá sólo los ralentizaba la permanencia de Franco. Éste ha sido objeto de todo tipo de mofas a posteriori, pero lo cierto es que le tributaban un enorme respeto no sólo la derecha, sino, incluso en mayor medida, sus enemigos. Un respeto involuntario y casi supersticioso, poco sorprendente habida cuenta de la forma en que el Caudillo siempre los había derrotado. Mientras él viviera, nadie pensaba en una transformación política en profundidad.

Fallecido Franco en noviembre de 1975, el proceso se aceleró, y en el verano de 1976 entró en la recta final, tras un primer ensayo inconcluyente con Arias Navarro. Lo dirigían Juan Carlos, el rey designado por el Caudillo, y figuras del Movimiento Nacional como Adolfo Suárez, Torcuato Fernández Miranda —intelectual prestigioso— y otros. Intentaban una reforma hasta la democracia liberal, pero siempre «de la ley a la ley», con orden y bajo control de los liberalizadores del régimen. Nada parecido a otra transición célebre, la emprendida al final de la Dictadura de Primo de Rivera, de curso tan desastroso.

La oposición, por el contrario, anhelaba una «ruptura» radical con el franquismo, su denuncia y proceso político, y dirigir ella el cambio. Para entonces, la mayoría de los partidos y personajes antifranquistas se habían reunido en dos variopintas formaciones, rivales entre sí: la Junta Democrática, bajo el mando del PCE, y la Plataforma Democrática, liderada por el PSOE. Las dos coincidían en albergar en su seno a una variedad de grupos y siglas, desde maoístas, trotskistas o separatistas, a democristianos, socialdemócratas y algún que otro liberal, un poco al estilo de la Asamblea de Cataluña. En las dos agrupaciones, los elementos decisivos eran marxistas o marxista-leninistas, es decir, antidemocráticos. Obviamente, una transición protagonizada por tal amalgama tenía las mayores probabilidades de abocar a un nuevo caos. La propia consigna de ruptura, tratando de ignorar o condenar en bloque los cuarenta años anteriores, no presagiaba el triunfo de la sensatez. La Junta y la Plataforma llegaron a unir fuerzas, a pesar de sus recelos mutuos, en un organismo conocido popularmente por *Platajunta*, y trataron de aglutinar un movimiento de masas bajo la triple consigna «Libertad, amnistía y estatuto de autonomía». En práctica libertad, organizaron considerables manifestaciones, pero nada capaz de asustar a ningún adversario.

Debe recordarse, por otra parte, que tanto el PSOE como el PNV, los nacionalistas catalanes y otros, venían reorganizándose en serio tan sólo desde 1971, y con autorización implícita, pero indudable, de la policía. Sin embargo, el PSOE saltaba al ruedo con un radicalismo verbal más «avanzado» que el propio PCE, el PNV parecía querer rivalizar con la ETA en retórica y los nacionalistas catalanes pintaban por toda la región: «*Els catalans no som espanyols.*» La lucha antifranquista de todos ellos se había aproximado bastante a la nulidad.

El régimen dio el paso crucial con la presentación de un proyecto de reforma que acarreaba, entre otras cosas, la autodisolución de las

Cortes. Los debates enfrentaron, por última vez, a los partidarios de mantener al régimen y a los que daban por concluida la tarea histórica del mismo. El procurador Fernández de la Vega denunció a la

> misérrima oposición que con su resentimiento a cuestas ha recorrido durante cuarenta años el camino de las cancillerías europeas denunciando el pecado de la paz y el progreso de España, alimentando los viejos y al parecer eternos prejuicios antiespañoles con la sucia leña de la tiranía de Franco.

Otro procurador, Fernando Suárez, le replicó:

> No trate de demostrarnos que para ser leales a Franco hay que impedir en estos momentos que sea el pueblo de España (...) el que decida su propio destino. Quienes hemos dictaminado este proyecto no vamos a intentar disimular con piruetas de última hora nuestras ejecutorias en el Régimen. Pero hemos pensado siempre (...) que los orígenes dramáticos del actual Estado estaban abocados desde sus momentos germinales a alumbrar una situación definitiva de concordia nacional. Una situación (...) en la que no sea posible que un español llame «misérrima oposición» a quienes no piensan como él, porque habremos sido capaces de rebajar el concepto de enemigo irreconciliable al más civilizado y cristiano concepto de adversario político, pacífico (...) sin (...) nuevos desgarramientos y nuevos traumas.

La postura de los dos Suárez, Adolfo y Fernando (no hermanos), triunfó y las Cortes, por 425 votos contra 59 y 13 abstenciones, acordaron su propia disolución para dar paso a una situación radicalmente distinta. Resolución de una generosidad y un espíritu de concordia sin precedentes, o con muy pocos, en la historia de cualquier país, y que arroja mucha luz sobre el pasado y la significación del franquismo. Las Cortes ratificaban el carácter necesario de la etapa de Franco, y votaban disolverlo en aras de un sistema más firme, basado en la reconciliación con los antiguos enemigos y los nuevos. Dijo otro ponente de la ley, Miguel Primo de Rivera:

¿Por qué atacar el futuro parlamentarismo comparándolo con los pasados, tan nefastos y nocivos para España, que son ya agua pasada?

La ley debía ser sometida a referéndum en diciembre de ese año, 1976. La oposición intentó movilizar en contra a la gente, recrudeció su activismo y lanzó para el 12 de noviembre la consigna de huelga general, propósito de carácter revolucionario por naturaleza. La prueba de fuerza se saldó con el fracaso de la huelga y la consiguiente victoria del Gobierno. Desde entonces la oposición hubo de doblegarse a la iniciativa franquista, y aunque intentó boicotear el referéndum, lo hizo ya con poco aliento. La excepción fue la del PCE(r)-GRAPO, que secuestró a Antonio de Oriol, y más tarde al general Villaescusa, para echar por tierra la maniobra «fascista». Pese a ello, el referéndum resultó un éxito, siendo el más votado de la Transición y de la democracia, con abrumadora mayoría de síes. Finalmente, el doble secuestro del GRAPO, que duró dos meses y paralizó momentáneamente la Transición, aceleró ésta, pues la oposición, asustada ante una posible involución desde el ejército, ofreció todo tipo de garantías al Gobierno. El PCE, en particular, obró como partido de orden con ocasión del asesinato de un grupo de abogados suyos por extremistas de derecha, y se ganó definitivamente la legalización.*

Como dando la razón a Fernando Suárez, el PSOE se democratizó en 1979 al abandonar el marxismo —bien que sin debate interno digno de ese nombre—, y el año anterior el PCE había renunciado al estalinismo (el llamado marxismo-leninismo provenía de Stalin) y entró en rápida decadencia. En los años siguientes, las cosas marcharían razonablemente bien, aunque afrontando graves problemas: un terrorismo izquierdista y separatista (muy secundariamente de extrema derecha) que alcanzó intensidad desestabilizadora en algunos momentos, la reacción golpista del 23 de febrero de 1981, la marea de corrupción de los años 80 y la radicalización de los separatismos.

Sólo desde 2004, cuando el terrorismo islámico logró con un solo golpe —la matanza del 11 M en Madrid— invertir la política interna

---

* En *De un tiempo y de un país* he explicado la gestación y el desarrollo de los secuestros, conocidos como «Operación Cromo».

y externa de España, se están tornando realmente serias las amenazas a la democracia y a la integridad de la nación. El nuevo Gobierno viene practicando una política extraordinariamente favorable a los terrorismos, los separatismos y las dictaduras del Tercer Mundo. Y fuerzas radicalizadas, en el Gobierno y fuera de él, ansían imponer por fin la «ruptura» no alcanzada en 1976. Esa «Segunda Transición» llevaría al país, previsiblemente, de la democracia a la demagogia, al estilo de otras experiencias históricas.

Pero ésa es otra historia. Lo que puede decirse es que, mientras duró el franquismo, no existió una alternativa real, con garantías de mantener la paz y la estabilidad. Resultan ociosas, por lo tanto, las especulaciones sobre si debiera haber dejado paso antes a un sistema de partidos y libertades. Y también parece indudable que la Transición preconizada desde aquel régimen siguió sin tener alternativa, por lo que la previsión de Franco se cumplió en lo esencial, aunque finalmente llegó mucho más lejos de lo que él hubiera deseado: no suena probable que él hubiera admitido a los comunistas, pese a su última evolución hacia una política razonable, ni otorgado ventajas políticas y electorales a grupos en definitiva separatistas, o aceptado políticas un tanto complacientes hacia la ETA y cosas por el estilo.

Como hemos podido observar, Franco evolucionó desde la aceptación de la democracia liberal a la negación de ella, y finalmente a posturas más flexibles y posibilistas. Aun así, sería falso presentarlo como deseoso o proclive a la democracia. Nada falso, por contra, admitir que, sin los avances sociales y económicos alcanzados en la larga época de paz asegurada por su régimen, la democracia habría resultado mucho más azarosa, quizás imposible, al modo como ha ocurrido en numerosos países latinoamericanos. Según él,

a cada pueblo le rondan siempre sus demonios familiares, que son diferentes para cada uno. Los de España se llaman: espíritu anárquico, crítica negativa, insolidaridad entre los hombres, extremismo y enemistad mutua.[6]

Una observación final: a causa del franquismo, la democracia ha llegado a España con bastante retraso con respecto a Europa occidental. Esta constatación debe completarse con otras dos: gracias a ello la de-

mocracia ha resultado más firme que en otro caso. Y la debemos a nosotros mismos, no a Usa, como la mayoría de los demás países europeos,
salvados por ella del nazismo y del comunismo. A la objeción de que España tampoco habría podido esquivar ambos totalitarismos a no ser por
la intervención useña en el continente, puede responderse que esa evidente deuda indirecta queda saldada con la neutralidad española en la
guerra mundial, tan valiosa para los aliados.

Podemos encontrar cierto paralelismo entre la relación de Franco
con la guerra mundial y con la democracia. Durante la contienda, él
prefería la victoria del Eje a la de los aliados, pero su concepto de los
intereses de España hizo que, en definitiva, favoreciese con su neutralidad la victoria aliada. De modo semejante, no puede llamársele demócrata y, sin embargo, fue su régimen, y no la oposición —tampoco
democrática—, el creador de las condiciones para una democracia no
espasmódica, capaz de sostenerse hasta ahora mismo y, esperémoslo,
de superar los cruciales desafíos de demagogia y balcanización que actualmente debe afrontar.

CAPÍTULO XV

La enfermedad del antifranquismo retrospectivo

A menudo he de responder a esta pregunta en entrevistas y conversaciones informales: «¿Por qué usted, que luchó con tanta radicalidad contra el franquismo, ha cambiado tanto de opinión?» Lo he explicado muchas veces y no lo repetiré aquí. Casi todo el mundo ha cambiado mucho de opinión en estos treinta años, pero pocos han aclarado las razones de ese cambio. La pregunta correcta sería: «¿Por qué se ha vuelto tan furiosamente antifranquista tanta gente que antes apoyaba a Franco, o hacía carrera en su administración, o simplemente no movía un dedo contra él?»

Los antifranquistas se han multiplicado por cien o más después de extinto aquel régimen, y suelen mostrar una notable combatividad cuando acaso no haga ya tanta falta luchar contra él. Podríamos felicitarnos por el fenómeno, pensando que esos talantes revelan una profunda devoción por las libertades y una firme decisión de defenderlas contra viento y marea, pero sospecho que no hay mucho de ello. En caso de sobrevenir otra dictadura veríamos seguramente a la mayoría de esos furibundos antifranquistas acomodarse y hacer carrera en ella. Esto es, desde luego, una impresión subjetiva, y no pretendo hacerla pasar por un hecho real ni deseo que haya nunca ocasión de comprobarla, pero más de uno estará de acuerdo conmigo, si mira las cosas con sinceridad y frialdad.

Donde no hay rastro de subjetivismo es en la constatación de que los directores de las orquestas antifranquistas suelen tener poco o nada de demócratas. Podemos empezar con los separatistas y racistas vascos en su versión etarra y no etarra (pero la última, complaciente con el terrorismo): todos ellos comparten un odio ferviente a Franco, no por haber sido un dictador, sino por «españolista». Esos nacionalistas han hecho retroceder las libertades en Vascongadas, han extendido el miedo en la mitad de la población y fanatizado a miles de vascos. No existe una democracia normal en aquella región, donde la falsificación de la historia ha adquirido rasgos realmente desvergonzados, más aún que en el resto.

También los nacionalistas catalanes distinguen a Franco con una aversión radical. Desde hace mucho instruyen a los jóvenes —usando el dinero público— con el mito de que la guerra civil no fue allí tal, sino agresión del «fascismo» español contra Cataluña.* Con el mismo desafío a los hechos pintan un cuadro sombrío de miseria y anticatalanismo, cuando la pobreza se superó ya en los años 50 y el anticatalanismo del comienzo dejó paso muy pronto a una apreciable flexibilidad. ¿Y cómo explicar la resistencia, nula o poco menos, de los nacionalistas durante la dictadura, o su reorganización muy al final del régimen, con permiso de éste y en torno a organismos comunistas? ¿Cuántos nacionalistas catalanes había en la cárcel en 1975? Lo indudable es que la democracia llegó a Cataluña, como al resto de España, sin la menor intervención reseñable de los nacionalistas. Éstos resultaron luego sus principales beneficiarios, y utilizaron unas libertades que nada les debían para marginar oficialmente a los castellanohablantes, imitando la política contraria de Franco, para dejar sin voz a buena parte de la población y extirpar el pluralismo de la prensa catalana en torno a cuestiones políticas fundamentales. No, ciertamente el nacionalismo catalán debe mucho, o todo, a la democracia, pero ésta no le debe a él gran cosa.

Del antifranquismo comunista no hará falta hablar, si bien debe reconocerse que, en la Transición, el PCE obró con mayor cordura que tantos otros supuestos demócratas. Pero sí vale la pena citar al PSOE, hábil constructor de leyendas como la de los «cien años de honradez». El PSOE fue marxista, es decir, antidemócrata por definición. Su doctrina le había llevado a planificar y poner en marcha la guerra civil, a

---

* La realidad se manifiesta en la caída de Barcelona: la población rehusó movilizarse contra los «fascistas», no hubo la menor resistencia, y unas 400.000 personas huyeron hacia la frontera, mientras otras tantas recibían con alborozo al «invasor». Y de los 400.000 huidos, más de dos tercios volvieron a España en el mismo año 1939.

enviar a Rusia las reservas españolas de oro, a expoliar todo tipo de bienes públicos y privados y a intentar enlazar la guerra española con la mundial, como si la primera no hubiera producido bastante desolación. Después de la guerra, por influjo del oportunista Prieto, Marx había quedado como referencia cada vez más retórica y menos activa —tan poco activa como el propio PSOE—, pero en los años 70 el partido recuperó un marxismo simple y vocinglero de manos del grupo sevillano que se impuso en el congreso de Suresnes. Con ese marxismo predicaba la «autodeterminación de las nacionalidades», o achacaba a la Junta Democrática de Carrillo insuficiente contenido «de clase», es decir, de «clase obrera» (los sevillanos no eran obreros y solían venir de familias profranquistas).

Luego, considerándola un obstáculo para alcanzar el poder, renunciaron a dicha doctrina, la más totalitaria de los últimos dos siglos junto con la nacionalsocialista, y se democratizaron oficialmente. Pero permanecieron en el partido numerosos tics totalitarios, bien puestos de relieve en sus intentos de proteger por ley su rampante corrupción, en la politización de la justicia con propósito confesado de «enterrar a Montesquieu», es decir, de liquidar un pilar clave de la democracia, en la eliminación de prensa desafecta, en la expansión inmoderada del aparato del Estado y manipulación de éste a todos los niveles, etc. Estos desmanes no bastaron para enterrar la democracia, porque despertaron una fuerte oposición y porque en el mismo PSOE predominaba un talante más bien oportunista que fanático.

Pero últimamente comprobamos cómo las arraigadas inclinaciones totalitarias de este partido han reverdecido en el empleo de métodos de violencia callejera y otros semejantes a los que han arruinado la democracia en las Vascongadas; o en una alianza de hecho con los separatismos y el terrorismo, orientada a anular los efectos de la Transición (es decir, la Constitución democrática) y a promover una «Segunda Transición», que sólo puede ser de la democracia a algo distinto; o en sus simpatías por dictaduras como la de Fidel Castro, la de Mohamed VI o, en su momento, la de Sadam Hussein. Esta evolución viene arropada por un «antifranquismo» provocador, alejado de las expresiones de Felipe González al respecto, curiosamente sensatas. Efecto de ese antifranquismo retrospectivo por parte de unos políticos que sólo lucharon de boquilla contra Franco ha sido la falsificación radical de la historia, despertando viejos rencores. En ello imitan a los separatistas vascos y catalanes.

Si miramos la situación con sentido crítico percibimos fácilmente que los mayores peligros para la democracia, como el terrorismo, el separatismo, la corrupción masiva o la degradación demagógica de las libertades, provienen de... los antifranquistas. Esto suena a paradoja, porque a esos partidos y políticos no se les caen de la boca las palabras sagradas, pero otro tanto ocurría en la Segunda República o en la Restauración de principios del siglo XX: quienes enarbolaban con mayor brío la bandera de la libertad eran los mismos que agredían sin tregua los sentimientos y creencias mayoritarios, practicaban el pistolerismo o se compinchaban con él, pretendían ignorar la herencia cultural e histórica del país, utilizaban el erario o saqueaban bienes privados en su propio beneficio y procuraban reducir a la impotencia a la oposición.

El antifranquismo retrospectivo también ha cuajado ampliamente en la derecha. Sinceros o no, bastantes líderes derechistas se expresan con una contundencia digna de la extrema izquierda. ¡Qué aspavientos de virtuoso desprecio hacia el Caudillo! Y ello porque si bien fue la derecha, y precisamente una derecha franquista, la aportadora de las libertades, las izquierdas y los nacionalistas se encontraban en la mejor posición para explotarlas, acusando y acosando a aquéllas. Para mediados de los setenta casi nadie, en la juventud y en la gente de edad mediana, conocía el historial del PSOE, del PNV o de los nacionalistas catalanes, y por lo tanto funcionaban leyendas como la de la honradez o la identificación de los nacionalistas con el pueblo catalán o el vasco, y resultaba creíble la tesis de que Franco había aplastado la democracia. Por otra parte, tal versión predominaba de modo casi absoluto al norte de los Pirineos, y la opinión europea pesaba mucho en España. La derecha no podía defender la realidad histórica sin exponerse a la ironía y la condena generalizadas por «fascista» o cosa parecida. Los pocos que lo intentaron recibieron inmediatamente el castigo, la mayoría optó por un discreto silencio, y un tercer grupo, cada vez más nutrido, aceptó la falsificación y se sumó al coro de las izquierdas, procurando cantar con voz potente, a fin de hacerse perdonar el pasado.

Por consiguiente, las interpretaciones históricas izquierdistas y balcanizantes han dominado en los ámbitos universitarios y en los medios de masas. Atención especial merece el fenómeno de *El País*, el periódico más influyente, con diferencia, en este período, y el más conocido, también con diferencia, fuera de España. La que pronto sería propiedad mayor del diario había labrado su fortuna durante la dictadura y en estrecha relación con ella, y su director había hecho rápida carrera en la prensa del régimen gracias, en parte, a su origen familiar falangista, llegando a dirigir los informativos de televisión en la época de Arias Navarro. La nómina de periodistas de que habían colaborado en el diario falangista *Arriba* es bastante nutrida. O sea, no es que no hicieran nada contra la dictadura, sino que muy bien podían considerarse parte de la dictadura, y en campos tan ideologizados como la información o la enseñanza. No obstante, en la confusión típica de las transiciones, *El País* se convirtió en avanzadilla de un antifranquismo intransigente y chillón, en rudo contraste con un muy socialdemócrata respeto por el comunismo e incluso el terrorismo, hacia el que propugnaba una política de comprensión y acuerdos negociados. Lo más digno de nota es que el periódico, técnicamente muy bueno, y su director, se erigieron en dispensadores de títulos de demócrata, otorgándolos generosamente a las izquierdas y nacionalistas y negándolos o poniéndolos en cuarentena cuando se trataba de las mortificadas derechas.

Así, la televisión y la cátedra difunden a todos los vientos las mismas sandeces que yo oía en París en 1966. ¡Y lo hacen en nombre de la democracia y la reconciliación, al modo como los organizadores de la guerra civil en octubre de 1934 invocaban la libertad y el antifascismo!

No vale la pena alargarse en torno a unos hechos bien a la vista para quien quiera abrir los ojos. La paradoja de que los antifranquistas sean quienes ponen en peligro la democracia deja de sorprender o tener secreto para quien conozca la historia. En síntesis cabría definir así la situación: la democracia actual procede del franquismo y no de la República. Esto no es un mal, sino un gran bien, porque significa el desarrollo sin ruptura del más largo período de paz y estabilidad que haya gozado España en dos siglos. Los intentos de provocar la «ruptura» o una «Segunda Transición» para enlazar con aquella República violenta y apenas democrática conducen, y sólo pueden conducir, al declive o al derrumbe de las libertades, la unidad y la paz de España.

CAPÍTULO XVI

Conclusiones

Franco falleció hace treinta años. ¿Es tiempo suficiente para establecer un balance objetivo de su peso y su paso por la historia? Más que suficiente. Contra un tópico corriente, pero vacuo, un juicio histórico aceptable no depende del paso de los años, sino de los datos disponibles y del criterio utilizado para interrelacionarlos. Así, los criterios materialistas o marxistas, tan hegemónicos durante décadas e incluso ahora, sólo pueden ocasionar distorsiones. No es este libro el lugar adecuado para demostrarlo, pero observaré que esos criterios funcionan tan mal y opresivamente en la historiografía como en la política, y que, dada su prolongada hegemonía en muchas universidades, han producido bibliotecas enteras de títulos de muy escasa enjundia. En este libro he procurado abordar de forma directa las principales cuestiones suscitadas por la acción histórica del Caudillo, analizando las críticas que están más en el ambiente, a partir de los datos relevantes. He dejado al margen discusiones, a mi entender poco interesantes, sobre si el franquismo fue un régimen o una sucesión de regímenes o sobre las pugnas internas entre los sectores falangistas, eclesiásticos, del Opus Dei, militares, etc. Aquí basta señalar que la dictadura demostró una flexibilidad y adaptación a las circunstancias muy superior a la que suele concedérsele.

En estos años ha predominado una opinión muy negativa sobre el general gallego, y han sido denunciados a todos los vientos los males y desequilibrios de la sociedad franquista, tales como la marginación de las lenguas y las culturas catalana y vasca, la prohibición del divorcio, la inferioridad legal de la mujer, la represión sexual, el acoso a los homosexuales, la escasa curiosidad y tensión intelectual, los bajos índices de lectura, la censura, la represión de posguerra, etcétera.

Son hechos en buena parte reales, pero varios de ellos, como la baja tensión cultural, preceden al franquismo y persisten hoy; la represión de los idiomas vasco y catalán se suavizó de forma decisiva tras los primeros años 40, y la relativa inferioridad legal de la mujer distaba de crear una inferioridad práctica en la mayoría de los casos. El hostigamiento legal a los homosexuales no alcanzó, ni de lejos, el grado de la Cuba castrista, aparte de existir entonces en la mayor parte de los países (habiendo pasado hoy a la situación inversa, de excesiva influencia de las camarillas rosas). Se alega asimismo que la prohibición del divorcio y la represión sexual escondían un masivo fracaso familiar, pero sabemos que no es así porque cuando se implantó el divorcio, en la democracia, muy pocos matrimonios hicieron uso de él en los primeros años, pese al innecesario argumento de los divorcistas sobre los cientos de miles de parejas en espera ansiosa de la nueva ley. En cuanto a la represión de posguerra, como ya vimos, no difirió de muchas otras practicadas no sólo por los comunistas sino también por los aliados, excepto en que la franquista causó proporcional o totalmente menos víctimas, y ofreció a éstas defensas jurídicas ausentes en los demás casos.

Creo que debe relativizarse asimismo el cargo principal hecho a su régimen: su carácter dictatorial. La realidad demostró que no había alternativa a él, tanto porque, tras la experiencia republicana, muy poca gente añoraba un sistema de partidos como porque quienes invocaban las libertades contra Franco eran en realidad mucho más totalitarios que él, y quienes eran sinceramente demócratas prefirieron, por diversas razones, no causarle problemas.

Algunos críticos pretenden, con dudosa ingenuidad, que «todas las dictaduras son iguales». Nada más erróneo. Notamos a primera vista las diferencias entre unas y otras con sólo comparar la de Franco con la de Fidel Castro, tan popular en los ambientes «progresistas» del mundo entero. El castrismo descansa en un aparato policial realmente monstruoso, ha arruinado materialmente al país y lo dejará profundamente dividido. Las dificultades de Cuba para democratizarse serán enormes, como lo han sido o siguen siendo las de Rusia y los países del Este de

Europa, mientras que la democratización en España llegó como una consecuencia natural, sin más fricciones y riesgos que los ocasionados por las izquierdas extremistas y los separatismos y las reacciones de una débil extrema derecha a la violencia de aquéllas.

Quiero decir con esto que las acusaciones deben ponerse en relación con las circunstancias de la época y no contrastarlas con exigencias éticas absolutas, incumplibles también, por supuesto, para los acusadores. Así pues, dada la sobreabundancia de críticas y ataques, no todos falsos o calumniosos, recibidos por el Caudillo en los últimos treinta años, podría entenderse este ensayo como un intento de restablecer el equilibrio a base de rescatar aspectos más positivos e injustamente omitidos. En parte es así, pero quisiera llamar la atención sobre la envergadura de estos aspectos positivos, que, a mi juicio, opacan a los negativos.

A lo largo del libro he mencionado unos cuantos de ellos, desde su disciplina ante la República a su conducta con los judíos. Sin embargo, considerando la cuestión en conjunto, cabe destacar tres hechos por encima de cualquier opinión:

a)   Franco derrotó la revolución en tres ocasiones: en 1934, cuando la insurrección socialista-nacionalista catalana; en 1936-1939; y en 1944-1949, cuando el maquis y el aislamiento internacional.

b)   En circunstancias sumamente adversas libró a España de la guerra mundial, que hubiera causado devastaciones y víctimas sin cuento, y seguramente un golpe durísimo a los aliados.

c)   Dejó un país próspero y, más importante aún, políticamente moderado, donde las exaltaciones del pasado estaban superadas. Gracias a lo cual han sido posibles casi treinta años de democracia.

Estas tres hazañas, pues son auténticas hazañas, entre otras menores, dejan forzosamente muy en segundo término los defectos y fechorías achacables a su régimen. Tan es así que sus detractores han debido recurrir a especulaciones psicológicas increíblemente retorcidas, amén de incomprobables, para hurtarle el mérito de ellas. Si hubiéramos de dar crédito a esas versiones, el Caudillo, zoquete incapaz de ganar una guerra, habría querido prolongarla por el gusto de la sangre, habría querido entrar en la guerra mundial, habría querido mantener al pueblo en la incultura, el atraso y la miseria, etc. Y sin embargo, misteriosamente, todo le salía al revés, a pesar de ser un brutal tirano absoluto, personalmente un hombrecillo cruel, gris y mediocre. En fin, esos métodos irracionales de analizar la historia nos remiten a las primeras páginas de este ensayo: el odio, a menudo feroz, con que ha sido distinguido en medios amplios e influyentes y que ciega a quienes lo profesan.

Cae de su peso que los logros de Franco no son sólo suyos. Dispuso de la adhesión y la labor inteligente de buen número de políticos, técnicos, diplomáticos, intelectuales y militares. La memoria de esas personas ha sido harto maltratada por otras que, siendo inferiores, se erigen en jueces implacables desde el estrado de unas autoatribuidas virtudes democráticas, nunca demostradas en tiempos de la dictadura.

Sólo gentes muy frívolas o muy ignorantes de las dificultades políticas experimentadas por la sociedad española desde la invasión napoleónica minimizarán el alcance de las realizaciones franquistas. A mi juicio, esos tres logros cruciales del Caudillo lo convierten en el personaje político de mayor envergadura en la historia de España de los dos últimos siglos, en rivalidad, si acaso, con Cánovas.

Otro tópico sin fundamento asimila a Franco con Hitler o Mussolini. Ya es un abuso la habitual identificación entre el poco sanguinario fascismo y la terrible crueldad nacionalsocialista. Ello aparte, Hitler y Mussolini condujeron a sus patrias a la catástrofe, exactamente al revés que el español. Y éste, si bien recibió ayuda de ellos, mantuvo su independencia, al contrario que el Frente Popular en relación con Stalin. Y tampoco sus regímenes se parecieron mucho. El franquismo tomó algunos rasgos del alemán y el italiano, pero rechazó siempre el carácter paganoide de éstos, se mantuvo católico y no alentó la presencia o movilización de las masas en la política, salvo casos especiales. Por tales razones no puede ser calificado de fascista, como ha reconocido hace tiempo la mayor parte de la historiografía seria, incluso de izquierdas. Fue más bien una dictadura autolimitada y autoritaria, no totalitaria como las de Hitler, Stalin, Castro o las del Este europeo.

A mi juicio, la comparación correcta podría establecerse con la dictadura polaca de Pilsudski. Éste preservó la independencia de su país y derrotó a la revolución, y por ello sus compatriotas le honran como un héroe nacional. Me parecen razones suficientes, y opino que Franco tiene las mismas y varias más para recibir la gratitud y el reconocimiento de la mayoría de los españoles. En otras palabras: una sociedad que no sepa reconocer y apreciar los méritos de quien la ha beneficiado está condenada a seguir a demagogos enterradores de Montesquieu, infinitamente ansiosos de paz con los terroristas y de buen rollito con los separatistas y con los dictadores que más amenazan a su país. Está condenada a la convulsión y, muy posiblemente, a perder la libertad.

Nota final

Este libro choca con una corriente de opinión muy extendida y con lo que podemos llamar una *industria* antifranquista sumamente poderosa. He expuesto mi opinión negativa sobre esa *industria*, y creo que los argumentos aquí desplegados tienen peso. Pero tener peso no significa ser definitivos, y podría estar yo equivocado y acertados, a pesar de todo, los antifranquistas retrospectivos. La cuestión sólo queda planteada en este libro, y resolverla exige un debate en profundidad. La importancia y la actualidad de ese debate no precisan comentario, pues afecta a cuestiones de tanta enjundia como el origen de nuestra democracia y sus peligros, y permitiría clarificar muchas confusiones y prejuicios que hoy pasan por verdades.

Debo referirme, no obstante, a otro debate que he propuesto en balde, sobre las causas de la guerra civil. En balde porque la réplica a mi propuesta no ha consistido en la argumentación y la aportación de datos que cualquiera tiene derecho a esperar en una sociedad intelectual mínimamente responsable y desarrollada. Con muy contadas excepciones, la discusión fue escamoteada, y, por el contrario, recibí una catarata de ataques personales y descalificaciones malintencionadas acompañadas de exigencias de censura, y de censura efectiva en numerosos medios de masas. Muchos *criticaban* mis libros sin haberlos leído siquiera, y hasta jactándose de no tener intención de leerlos. A un nivel más bajo, recuerdan las reacciones contra Solzhenitsin cuando éste visitó España, o las conocidas consignas comunistas: «Nuestros camaradas y los miembros de las organizaciones amigas deben avergonzar, desacreditar y degradar continuamente a nuestros críticos. Cuando los obstruccionistas se vuelvan demasiado irritantes hay que etiquetarlos como fascistas o nazis. Esta asociación de ideas, después de las suficientes repeticiones, acabará siendo una realidad en la conciencia del pueblo.»

Esos talantes sólo pueden calificarse de fanáticos, y Stanley Payne lo ha puesto de relieve: «Los numerosos críticos de Moa no han hecho en realidad ningún esfuerzo por refutar, desde un punto de vista científico, ninguna de sus principales tesis y conclusiones. Lo que plantea inquietantes cuestiones sobre la situación actual de la democracia española son las persistentes exigencias de que Moa sea: *a*) silenciado o *b*) ignorado. Reclamar tal censura demuestra la estrechez mental de los sectores dominantes de la historiografía española, así como que carecen de todo interés por establecer el menor diálogo o debate, cosas que resultan verdaderamente asombrosas al cabo de cerca de treinta años de democracia. Todo ello plantea la cuestión de saber si la democracia se ha implantado de verdad en las universidades españolas.»

Con todo, esa actitud cerril ha fracasado en buena medida, y hoy es frecuente leer, en libros y en la prensa, citándome o sin citarme, opiniones muy semejantes a las sostenidas en mis trabajos, algo muy infrecuente hasta hace poco tiempo, cuando los discrepantes de las versiones oficiales quedaban automáticamente sepultados en un descrédito inmerecido. Tengo la esperanza de que este fracaso haga recapacitar a quienes han mantenido una posición tan equivocada, pues si importante era debatir o polemizar sobre la guerra civil, mucho más lo es sobre la significación histórica de Franco y su régimen.

No seré yo quien desprecie la competencia como historiadores de muchos de mis críticos, y me gustaría recordarles lo que por otra parte saben muy bien: que la cuestión debe tratarse al margen de cualquier personalismo, pues su interés es general, afecta íntimamente a la convivencia democrática en España ahora mismo.

Testamento de Francisco Franco

Al llegar para mí la hora de rendir la vida ante el Altísimo y comparecer ante Su inapelable Juicio, pido a Dios que me acoja benigno a Su presencia, pues quise vivir y morir como católico. En el nombre de Cristo me honro y ha sido mi voluntad constante ser hijo fiel de la Iglesia, en cuyo seno voy a morir.

Pido perdón a todos, como de todo corazón perdono a cuantos se declararon mis enemigos, sin que yo los tuviera por tales. Creo y deseo no haber tenido otros que aquellos que lo fueron de España, a la que amo hasta el último momento y a la que prometí servir hasta el último aliento de mi vida, que ya sé próximo.

Quiero agradecer a cuantos han colaborado con entusiasmo, entrega y abnegación en la gran empresa de hacer una España unida, grande y libre.

Por el amor que siento por nuestra Patria, os pido que perseveréis en la unidad y en la paz y que rodeéis al futuro Rey de España, Don Juan Carlos de Borbón, del mismo afecto y lealtad que a mí me habéis brindado y le prestéis, en todo momento, el mismo apoyo de colaboración que de vosotros he tenido.

No olvidéis que los enemigos de España y de la civilización cristiana están alerta. Velad también vosotros, y para ello deponed, frente a los supremos intereses de la Patria y del pueblo español, toda mira personal.

No cejéis en alcanzar la justicia social y la cultura para todos los hombres de España y haced de ello vuestro primordial objetivo.

Mantened la unidad de las tierras de España, exaltando la rica multiplicidad de sus regiones como fuente de la fortaleza de la unidad de la Patria.

Quisiera, en mi último momento, unir los nombres de Dios y de España y abrazaros a todos para gritar juntos, por última vez, en los umbrales de mi muerte:

¡Arriba España! ¡Viva España!

El episodio de Solzhenitsin

Para ver hasta qué punto la oposición antifranquista, y no sólo la declaradamente comunista, simpatizó con el totalitarismo soviético, y por ello no puede considerarse democrática, vale la pena reseñar su reveladora respuesta a unas declaraciones de Solzhenitsin en Madrid, ¡en 1976!

Solzhenitsin, uno de los grandes testigos de la barbarie totalitaria en el siglo XX, declaró en la televisión española:

> ¿Saben ustedes lo que es una dictadura? (...) Los españoles son absolutamente libres para residir en cualquier parte y de trasladarse a cualquier lugar de España. Nosotros, los soviéticos, no podemos hacerlo en nuestro país. Estamos amarrados a nuestro lugar de residencia por la *propiska* (registro policial). Las autoridades deciden si tengo derecho a marcharme a tal o cual población (...)
>
> Los españoles pueden salir libremente de su país para ir al extranjero (...) En nuestro país estamos como encarcelados. Paseando por Madrid y otras ciudades (...) más de una docena, he podido ver en los kioscos los principales periódicos extranjeros. ¡Me pareció increíble! Si en la Unión Soviética se vendiesen libremente periódicos extranjeros se verían inmediatamente docenas y docenas de manos tendidas y luchando por procurárselos (...)
>
> También he observado que en España uno puede utilizar libremente las fotocopiadoras (...) Ningún ciudadano de la Unión Soviética podría hacer una cosa así en nuestro país.

En su país (dentro de ciertos límites, es cierto) se toleran las huelgas. En el nuestro, y en los sesenta años de existencia del socialismo, jamás se autorizó una sola huelga. Los que participaron en los movimientos huelguísticos de los primeros años del poder soviético fueron acribillados por ráfagas de ametralladora.

Y tras poner algunos otros ejemplos, el gran escritor concluía:

Si nosotros gozásemos de la libertad que ustedes disfrutan aquí, nos quedaríamos boquiabiertos.

Estas frases provocaron una reacción increíblemente furiosa, una auténtica explosión de sinceridad política, que hizo caer muchas caretas, no sólo en medios abiertamente comunistas, sino en representantes intelectuales o políticos de la oposición como Juan Benet, que escribió:

Yo creo firmemente que, mientras existan personas como Alexandr Solzhenitsin, los campos de concentración subsistirán y deben subsistir. Tal vez deberían estar un poco mejor guardados, a fin de que personas como Alexandr Solzhenitsin no puedan salir de ellos.

En la prensa *progresista* se multiplicaron las acusaciones a la televisión por haber organizado «un escándalo». Aquello era «una vergüenza»: «¿Quién habrá pagado el *spot* de don Alexandr?» El premio Nobel ruso quedó cubierto de improperios en un estilo que sólo puede calificarse de canallesco: «paranoico clínicamente puro», «Es un Nobel por nada (...) Miente a cada instante», «Habrían debido hacer de manera que Solzhenitsin contase todo esto al estilo de *music-hall*, rodeado de lindas muchachas del ballet Set 69. Este caballero tiene pasta de showman», «La barba de Solzhenitsin parece la de un cómico de pueblo (...) El escritor ruso hace reír al gallinero», «Multimillonario a costa de los sufrimientos de sus compatriotas», «Solzhenitsin está contra toda Europa (...) Pájaro de mal agüero», «enclenque», «chorizo», «mendigo desvergonzado», «bandido», «hipócrita», «siervo»... En el indecente torneo de ultrajes contra quien osaba decir simplemente la verdad andaban mezclados muchos de los más conspicuos intelectuales de la progresía y otros bastante más a la derecha.

No fue una anécdota trivial: Solzhenitsin atacó un totalitarismo muy querido o respetado por aquella oposición, y eso no podía consentirse. Con tal campaña aquella gente se retrató indeleblemente. Y se retrató, de modo involuntario, con las mismas tintas que usaron Gregorio Marañón, Pérez de Ayala u Ortega y Gasset para describir a los «republicanos» de otro tiempo.

Aquella oposición seguía sin ser, desde luego, una alternativa al franquismo. Uno sólo puede preguntarse qué habría ocurrido si ella hubiera dirigido la transición a la democracia mediante su «ruptura».

Notas

Capítulo primero

1. E. Malefakis en AA. VV., *1936-1939. La guerra de España*, Madrid, *El País*, 1979, p. 216.
2. Á. Palomino, *Caudillo*, Barcelona, 1992, p. 61.
3. F. Franco Salgado-Araujo, *Mis conversaciones privadas con Franco*, Barcelona, 1976, pp. 452 y 499.
4. F. Franco, *Apuntes personales del Generalísimo*, Madrid, 1987, p. 7.
5. N. Alcalá-Zamora, *Memorias*, Barcelona 1998, p. 218.
6. F. Franco, *Apuntes*, p. 8.
7. F. Franco Salgado-Araujo, *Mis conversaciones*, p. 499.
8. En D. Martínez Barrio, *Memorias*, Barcelona, 1983, p. 138.
9. P. Preston, *Franco, Caudillo de España*, Barcelona, 1998, p. 121.
10. En P. Moa, *1934, comienza la guerra civil*, Barcelona, 2004, p. 347.
11. H. Raguer, *El general Batet*, Abadía de Montserrat, 1994, p. 194.
12. F. Franco, *Apuntes*, p. 12.
13. P. Preston, *Franco*, p. 139.
14. J. M. Gil-Robles, *No fue posible la paz*, Barcelona, 1998, p. 137.
15. F. Franco, *Apuntes*, p. 19.
16. *Ibid.*, p. 15.
17. *Ibid.*, p. 17.
18. *Ibid.*, p. 19.

Capítulo II

1. J. M. Gil-Robles, *No fue posible*, Barcelona, 1968, pp. 377-378.
2. F. Franco, *Apuntes*, p. 25.
3. *Claridad*, 4-V-1936.
4. C. Rivas Cherif, *Retrato de un desconocido*, Barcelona, 1979.
5. D. Martínez Barrio, *Memorias*, p. 320; C. Rivas Cherif, *Retrato*, pp. 678-679.
6. F. Franco, *Apuntes*, p. 34.

7. En P. Moa, *El derrumbe de la República y la guerra civil*, Madrid, 2001.
8. Gil-Robles, *No fue posible*, p. 647.
9. *El liberal*, Bilbao, 14-VII-1936.

Capítulo III

1. *El pensamiento político de Franco*, Madrid, 1975, pp. 99-100.
2. *Ibid.*, p. 100.

Capítulo IV

1. F. Díaz Plaja, *La guerra de España en sus documentos*, Barcelona, 1969, pp. 54-55.
2. S. Carrillo, *Juez y parte*, Barcelona 1998, p. 156.

Capítulo V

1. *Palabras del Caudillo*, Madrid, 1940, ediciones FE, p. 103.
2. *Ibid.*, pp. 83, 97.
3. En *Gaceta del Centenario*, número 3, 21-VI-2001.
4. R. Cantalupo, *Embajada en España*, Barcelona, 1951, pp. 191 y ss.
5. Véase Besteiro.

Capítulo VI

1. *El Cultural*, suplemento literario de *El Mundo*, Madrid, 4-VII-2001.
2. Azaña, *Diarios*, pp. 313, 191 y 400-401.
3. *El pensamiento político de Franco*, pp. 313, 391, 400-401.
4. *Ibid.* p. 79.
5. *Ibid.*, pp. 221, 234.
6. *Ibid.*, pp. 253, 255.
7. *Ibid.*, p. 84.
8. *Ibid.*, pp. 92-93.
9. *Ibid.*, p. 12.
10. *Ibid.*, p. 15.
11. G. Fernández de la Mora, «Franco, ¿dictador?», en AA. VV., *El legado de Franco*, Madrid, 1997, pp. 173 y ss.

Capítulo VII

1. L. Suárez, *Franco, España y la Segunda Guerra*, pp. 46 y ss.
2. J. Zugazagoitia, *Guerra y vicisitudes de los españoles*, II, París, 1968.

3. *Epistolario Prieto-Negrín*, Barcelona, 1990, p. 57.
4. *Ibid.*, p. 58.
5. *Ibid.*, p. 59.

Capítulo VIII

1. M. Ros Agudo, *La guerra secreta de Franco*, Barcelona, 2002, p. 331.
2. L. Suárez, *España, Franco...*, p. 111.
3. *Ibid.*, p. 111.
4. *Ibid.*, pp. 227-228.
5. *Ibid.*, pp. 211 y ss.
6. P. Schmidt, *Europa entre bastidores*, Barcelona, 2005, p. 564.
7. En R. de la Cierva, *Franco, la historia*, Madrid, 2000, pp. 450 y ss.
8. P. Schmidt, *Europa*, pp. 568-569.
9. Véase comentario Ciano.
10. J. Palacios, *La España totalitaria*, Barcelona, 1999, p. 321.
11. *Ibid.*, p. 409.
12. *Ibid.*, pp. 483 y ss.
13. *Ibid.*, pp. 316 y ss.
14. *El pensamiento político de Franco*, p. 71.
15. P. Preston, *Franco*, p. 659.
16. *El pensamiento...*, p. 118.

Capítulo IX

1. J. A. Ferrer Benimeli, *La masonería española*, Madrid, 1996, p. 211.
2. L. Lavaur, *Masonería y Ejército en la Segunda República*, Madrid, 1997, pp. 23 y ss.
3. *El pensamiento...*, p. 253.
4. B. Croce, *Cultura e vita morale*, Bari, 1914, pp. 162-163.
5. En J. Álvarez Junco, *El emperador del Paralelo. Lerroux y la demagogia populista*, Madrid, 1990, pp. 190-193, 116, 199; F. Cambó, *Memorias*, Madrid, 1987, p. 164.
6. *Libertaddigital*, 28-I-2005; M. Beguin, *La rebelión*, Barcelona, 1981, pp. 53 y 56.
7. L. Suárez, *España, Franco...* p. 489.
8. H. Avni, *España, Franco y los judíos*, Madrid, 1982, p. 192.
9. *Ibid.*, p. 204.

Capítulo X

1. P. Preston, *Franco*, p. 625; S. Hoare, *Embajador ante Franco en misión especial*, Madrid, 1977, pp. 217 y ss.

2. Preston, *Franco*, p. 645.
3. S. Hoare, *Embajador*, pp. 341 y ss.
4. *Ibid.*, pp. 345 y ss.
5. L. M. Anson, *Don Juan*, Barcelona, 1994, pp. 218 y ss.
6. *El pensamiento político de Franco*, p. 253.
7. R. de la Cierva, *Franco*, p. 703.
8. L. Suárez, *Franco, Victoria frente al bloqueo*, Madrid, 2001, p. 83.
9. Preston, *Franco*, p. 746.

Capítulo XI

1. *El pensamiento...* p. 643.
2. R. Salas Larrazábal, *Pérdidas de la guerra*, Barcelona, 1977, pp. 152-153 y 414.
3. G. Fernández de la Mora y Varela, *Razón Española*, núm. 111, Madrid, enero-febrero de 2002. Las cifras ofrecidas en adelante sobre economía, enseñanza, población reclusa, etc., proceden de los anuarios correspondientes del INE (Instituto Nacional de Estadística).
4. J. M. Cuenca Toribio, *La guerra civil de 1936*, Madrid, 1986, pp. 192 y ss.
5. Anuario correspondiente del INE.

Capítulo XII

1. J. P. Fusi, *Franco. Autoritarismo y poder personal*, Madrid, 1985, p. 170.

Capítulo XIII

1. Fusi, *Franco*, p. 172.
2. Datos de J. J. del Águila, *TOP. La represión de la libertad*, Barcelona, 2001.
3. Por ejemplo, http://www.red-libertaria.net/noticias/modules.php?name=News&file=article&sid=1042.

Capítulo XIV

1. *El pensamiento político de Franco*, p. 612.
2. En P. Moa, *Los crímenes de la guerra civil*, Madrid, 2004, pp. 276-277.
3. V. Walters, *The mighty and the meek*, Belfast, 2001, pp. 133 y ss.
4. V. Walters, *My silent missions*, N. Y., 1978, pp. 555-556.
5. V. Walters, *The mighty*, p. 131.
6. *El pensamiento...*, p. 693.

Índice onomástico

Primo de Rivera y Orbaneja, Miguel: 25, 85, 119, 147, 176.

Queipo de Llano Serra, Gonzalo: 64, 67, 68.

Raguer, Hilari: 27.
Ramírez, L.: 14.
Rey Pastor, Julio: 147.
Ribbentrop, Joachim von: 106.
Ridruejo, Dionisio: 166.
Ríos, Fernando de los: 89.
Rivas Cherif, Cipriano de: 99.
Roosevelt, Franklin D.: 13, 110, 113, 125.
Ros, Manuel: 101.
Rossanda, R.: 159.
Rubió i Tudurí, Nicolau Maria: 147.

Sainz Rodríguez, Pedro: 68, 89.
Salas Larrazábal, Ramón: 19, 37, 75, 91, 146.
Salas, Juan Tomás de: 171.
Sales, Joan: 147.
Salinas, Pedro: 147.
Samper, Ernesto: 117.
Sánchez Albornoz, Claudio: 147.
Sanjurjo Sananell, José: 22, 23, 27, 47, 52, 64, 118.
Sanz Briz, Ángel: 120.
Satrústegui, Joaquín: 166.
Schmidt, Paul: 105, 106, 108.
Schwartz, Pedro: 144.
Seco Serrano, Carlos: 18.
Semprún, Jorge: 163.
Sender, Ramón J.: 147.
Serrano Suñer, Ramón: 105, 106, 108.
Sert, José Luis: 147.
Sharon, Ariel: 120.
Simeón Vidarte, Juan: 118.
Soldevilla, Ferran: 147.
Solzhenitsin, Alexandr Issáievich: 159. 193, 194, 195.

Stalin, Iósiv Visariónovich Dzhugach-vili, llamado: 9, 10, 11, 12, 13, 25, 32, 59, 70, 75, 78, 79, 81, 83, 102, 109, 111, 112, 124, 125, 128, 130, 132, 136, 138, 142, 175, 178, 190.
Strauss, Daniel: 32.
Suárez, Adolfo: 176, 177.
Suárez, Fernando: 177, 178.
Suárez, L.: 14, 111, 119.

Talleyrand, Charles Maurice de: 127.
Tito, Josip Broz, llamado: 13.
Tomás, Belarmino: 27.
Torres (Luis Álvarez de Estrada y Luque), barón de Las: 106.
Torres, F.: 14.
Trueta, Josep: 147.
Truman, Harry S.: 131.
Trythall, J. W. D.: 14.
Tusell, Javier: 14, 37, 101.

Ullastres, Alberto: 145.

Vaca de Osma, José Antonio: 14.
Valdeavellano, Luis García de: 147.
Valera, José Enrique: 69.
Valls Taberner, Fernando: 147.
Velarde Fuertes, Juan: 145.
Ventosa i Calvell, Joan: 49.
Vicens Vives, Jaume: 147.
Villaescusa, teniente general: 178.
Viñas, Joan: 101.
Vóronov, Nikolái Nikoláievich: 12.

Walters, Vernon: 172, 173.
Wharton, Felipe: 115.

Yagüe Blanco, Juan: 27, 28.

Zugazagoitia, Julián: 97, 98.